Guelwaar

DU MÊME AUTEUR

Ô pays, mon beau peuple !, Presses de la Cité.

Les bouts de bois de Dieu, Presses de la Cité.

Le dernier de l'Empire, L'Harmattan.

Le Docker noir, Présence Africaine.

Voltaïque, suivi de *La Noire de...*, Présence Africaine.

L'Harmattan, Présence Africaine.

Le Mandat, précédé de *Vehi Ciosane*, Présence Africaine.

Xala, Présence Africaine.

Niiwam, Présence Africaine.

SEMBÈNE OUSMANE

Guelwaar

ROMAN

PRÉSENCE AFRICAINE
25 bis, rue des Écoles, 75005 Paris
64, rue Carnot, Dakar

ISBN 2-7087-0605-5

FABLE AFRICAINE
de l'Afrique du XXIe siècle
dédiée aux enfants du continent.

NOTE DE L'AUTEUR

Habituellement, c'est après avoir publié un roman que je réalisais un film, inspiré ou adapté de l'œuvre. Puisant dans un livre, le scénariste (ils peuvent être deux ou trois à rédiger un scénario) est en possession des ingrédients contenus dans le livre. Son travail de géologue se trouve facilité sur un sol déjà poreux : la situation des personnages et des dialogues. Le cinéaste possède un outil se pliant à son désir... Plongée, contre-plongée, travelling, la durée d'un plan, le silence descriptif de l'horizon. Au cinéma, un décor d'habitation miséreuse est aussi beau qu'un tableau des peintres africains avec leur goût immodéré des couleurs vives. Un gros plan de visage est l'horizon sans limite d'une âme, changeant comme une mer. Quant au regard (les yeux), une porte ouverte. Cette visualisation fugace est un effet, le « voyeurisme », que possède le cinéaste et qui lui donne un avantage certain sur l'écrivain.

Mais, sur ce point précis, le littérateur dispose d'un atout. Il sculpte et peint avec des mots (son outil) la forme du visage et explore profondément la psychologie du sujet. Là où le film (son réalisateur) privilégie le spectacle et le spectaculaire, le plumitif, phrase après phrase, taille, incise ses reliefs. Un lecteur averti s'y délecte. Un cinéphile est admiratif.

Combien sont-ils, ces grands Romains que j'ai aimés et vus à l'écran, et qui m'ont royalement déçus ?

L'arbitraire des normes cinématographiques est un écueil.

Pour cette fois, j'ai procédé autrement. Après la réalisation du film *Guelwaar*, le scénario m'a servi de matériau pour l'écriture du roman[1]. J'ai respecté le canevas du scénario. Cette bigamie créatrice est fécondante. Elle m'a enrichi.

Lorsque nous édifierons notre Ecole de Cinéma, « école du soir », nous devrons en cours de thématique exploiter cette méthode pour les écrivains et les scénaristes africains de demain.

SEMBENE Ousmane
Galle Ceddo, décembre 1994

---

1. Même titre que le film : *Guelwaar*.
Guelwaar ou *Gelwaar* : déformation du malinké Kélé Diawaru (guerrier de la bataille), guerrier mandingue de famille noble (cf H. GRAVRAND : La civilisation Sereer Pangol, NEAS).

PREMIÈRE PARTIE

— 1 —

Le quartier de lune enveloppé d'une mousseline de poussière miroitait d'un éclat de safran dilué. Un triple anneau l'encerclait. Dans la profondeur de la nuit, des aboiements rageurs repris par un second, puis un troisième chien, plus près, se répercutaient lugubrement.

Aloys suit en boîtant le même chemin qu'il empruntait depuis quelques jours et nuits. Noyé dans l'obscurité, l'esprit aux aguets, il se remémore une semblable nuit torride : les villageois s'étaient réveillés en sursaut pour assister, impuissants, à l'incendie qui dévorait les cases et les greniers. Le cheptel et la volaille effrayés, en débandade pour échapper à la furie des flammes, renversaient tout sur leur passage. L'embrasement du feu, avec ses langues de cinq à six mètres, gourmandes, la chaleur vive, ardente et la fumée suffocante maintenaient à distance les gens.

Le lendemain, le soleil impudique dévoila les débris calcinés d'une défunte habitation : dépouilles de personnes âgées ou de très jeunes surpris pendant leur sommeil ; reliefs d'ustensiles de ménage, de carcasses de bovins. De paresseux filets de fumée s'étiraient vers le ciel comme pour narguer les gens. Au-dessus des survivants, les vautours, libres, planaient. « Cette désolation n'est rien à côté de ce que nous portons chacun dans notre cœur », lui avait dit son père, Pierre Henri Thioune, plus célèbre sous l'appellation de Guelwaar.

Aloys se souvient de la phrase plus que du sinistre. Son père venait de rendre l'âme à l'hôpital. Les bruits et sons familiers remplissaient en écho le silence diurne. Tout d'un coup, le hurlement effroyable d'un chien déchira l'atmosphère. Terrorisé, Aloys se ressaisit, prêt à faire face à une attaque. Il changea la valise de main et se tint à l'écoute.

Un couple de tourterelles, dérangées dans leur rêve de pitance, reprirent leurs roucoulements. L'haleine du vent sec venu du large ravivait les relents des tas d'immondices. Rassuré, Aloys poursuivit sa marche.

— 2 —

La grande concession des Thioune était avalée par la sombre silhouette du caïlcédrat. Sous la porte du salon filtrait une fine bande de lumière. Dès que la porte s'ouvrit en grinçant, la voix de Nogoye Marie, la mère, se fit entendre :

— C'est toi, Aloys ?

— Oui, mère.

Nogoye Marie posait sempiternellement la même question. Seul, le nom de l'intéressé changeait. Elle connaissait son monde : chacun avait sa façon de pousser la porte pour accéder au salon.

Aloys remonta la mèche fumeuse de la lampe-tempête après avoir posé la valise. Il repoussa l'idée d'un malheur par fatalisme. Comme pour l'incendie évoqué, la sécheresse des années présentes représentait le malheur. Depuis sa chute d'un arbre, Aloys était physiquement diminué. Il se déplaçait de côté avec un déhanchement. Il avait le teint café grillé, le front étroit, les yeux roussis. Il regarda sa mère qui entrait.

Nogoye Marie donnait l'apparence d'une femme très fragile, sur ses longues jambes. Elle était vêtue d'une ample camisole de nuit à fleurs rouges et vertes. Elle noua son vieux mouchoir de tête avant de s'asseoir. Elle reconnut la valise qui avait contenu le linge de rechange de son mari. Fidèle chrétienne, elle se signa. La lèvre inférieure mouillée, elle murmura :

— *O !... Roog Ndew Seen*[1] *! O !... Roog Ngoor Seen !*

Elle s'y était pourtant préparée, à cette mort. A sa dernière visite à l'hôpital, le médecin le lui avait fait comprendre : « L'hémorragie interne est trop forte. Je n'ai rien pour l'évacuer à Dakar. » Au retour, elle s'était accrochée à son chapelet. Fatalité ?... Croyance ?... Résignation ?... Elle s'était retirée en dedans d'elle-même et s'y isola. A la vue de la valise, elle étouffa le cri venu de son ventre.

— Yaye, je lui ai retiré son alliance, crut bon de dire Aloys.

— *O !... Roog Ndew Seen ! O !... Roog Ngoor Seen !* répétait la mère en se balançant d'avant en arrière. Au rythme du refrain, son visage émacié, aux joues plates, aux lèvres ourlées, semblait s'illuminer. Elle avança la main droite, prit la bague et l'approcha de ses yeux. La lumière jaunâtre déposait sur la surface externe de l'anneau une

1. *Roog* : Dieu chez les Sereer. Il est homme et femme, d'où l'appellation de *Ngoor* et de *Ndew*.

minuscule ligne dorée, courbée. Nogoye Marie, défiant un ennemi, présent mais invisible, redressa son buste, le cou cylindrique un peu plus étiré. Malgré ses cinquante-trois pluies, elle était digne. Elle fixait sa fille cadette, Sophie, drapée dans un pagne de tissu soyeux avec des reflets de brillances argentées.

*
* *

Le soleil du jour de son mariage était toujours présent dans son cœur. Sa mère Tenning, une femme robuste, lui avait dit entre autres conseils : « Ma fille, retiens à jamais ce deuxième soleil d'aujourd'hui. Le premier avait été celui de ta communion. Et en ce jour, ce soleil est tien. Il ne vit qu'une seule fois. Moi, ta mère, je te bénis, je te loue de n'avoir pas sali mon honneur. Je souhaite que tu répètes ces paroles à tes enfants... » On lui avait choisi son mari. Son père, le vieux Simon, ne pouvait donner sa fille en mariage qu'à un catholique sans tare. Les deux lignées, Ndong et Thioune, « Guelwaar » de souche, nommaient les Lamane. Bien que chrétiens, ils n'avaient pas abandonné les us et coutumes. A chaque cérémonie, leur revenaient les places d'honneur.

L'office eut lieu dans la première chapelle datant du XVIIIe siècle. Le terrain sur lequel a été bâti l'édifice avait été offert par l'arrière-grand-père, Gayk Ndong, homme libre qui le premier embrassa la religion des tubabs[2]. Gayk, baptisé, portera le nom de Pierre. Marie n'avait que dix-huit ans, ce jour-là, et son mari Pierre Henri Thioune, vingt-

2. Tubab : Blanc, Européen.

neuf ans. De cette union, naquirent sept enfants, dont quatre moururent en bas âge. Nous avons fait la connaissance des deux plus jeunes : Aloys et Sophie.

*
* *

Sophie, assise à côté de sa mère, lui prit les mains avec une expression compatissante. Nogoye Marie, brutale, rejeta les mains de sa fille. Depuis que sa mère savait que Sophie, sa fille, se prostituait à Dakar, elle avait cessé toute discussion avec elle. Aloys fit signe à son aînée, comme pour lui dire : « Ce n'est rien. »

La douce clarté d'eau saumâtre plaquait une expression de sévérité sur le visage de la mère. Sa litanie emplissait la pièce. Le frère et la sœur, muets, observaient la vieille femme, les deux bras croisés sur sa tête.

Elle se leva et regagna sa chambre à coucher avec sa complainte :

— *O !... Roog Ndew Seen ! O !... Roog Ngoor Seen !*

— 3 —

La nouvelle de la mort de Guelwaar — Pierre Henri Thioune — s'était propagée comme un gigantesque brasier attisé par l'harmattan. Meurtrie, la communauté chrétienne, minoritaire face aux autres religions, tenait à manifester sa solidarité et sa commisération aux familles Thioune et Ndong.

Le matin de la levée du corps, l'entrée et l'intérieur de la morgue furent envahis par les parents et amis venus de lointains villages ; certains avaient fait le trajet en pirogue à travers des dédales de *bolongs*[3] ; d'autres en charrette ; d'autres à pied à travers les *tann*[4]. Les classes d'âge étaient reconnaissables à l'assortiment, bien distinct, des couleurs de leurs vêtements.

Nogoye Marie, tout de blanc vêtue, jusqu'au mouchoir de tête recouvert d'une mantille de pierres noires, cadeau de son fils aîné Barthélémy, qui l'avait achetée à Paris, aux puces. A côté de la mère, Sophie, habillée d'une robe-camisole, sans parures, triturait son mouchoir. Sa copine Hélène (avec qui elle opérait à Dakar), une étrangère à la paroisse, la consolait en lui susurrant à l'oreille :

— Arrête de pleurer ! Sinon, moi aussi, je vais pleurer.

Hélène arborait autour du cou une chaîne torsadée, au bout de laquelle pendait une croix en or s'inspirant des bijoux royaux baoulé. Dame Véronique, maîtresse en cérémonie, présidente de *Morom-yi*[5], introduisait auprès de la veuve les personnes qui déclaraient : « Nogoye Marie, nos condoléances. »

Elle répondait d'une voix à peine audible la sempiternelle phrase : « Nous partageons les mêmes peines du cœur. » En écho, Dame Véronique répétait, afin qu'elle soit entendue. S'ensuivait une profusion de vœux, de souhaits pour le repos de l'âme du mort. Quelques-uns, loquaces, faisaient des incursions dans la vie du défunt en témoignant de ses qualités d'homme, de père, de mari, de sa pro-

---

3. *Bolong* : chenal.
4. *Tann* : salins.
5. *Morom* : classe d'âge égalitaire.

bité et de son dévouement pour la communauté. Des « Amines ! Amines ! » fusaient, soutenant le laïus. Dans les flots de paroles, ici et là jaillissaient des « *Ndeyssane ! Ndeyssane !* »

Abbé Léon, curé de la paroisse, faisant les cent pas, lisait son Livre des morts. A distance, les enfants de chœur attendaient aussi.

— Abbé ! l'interrompit Bernard en lui prenant la main.

— Bernard, comment vas-tu ? Ta famille ? demanda le prêtre sur un ton condescendant.

— Très bien...

— On ne te voit qu'en de pareils moments.

— La vie est infernale à Dakar.

— Alors, reviens au village ! Justement nous préparons la fête pastorale.

— Abbé, je ferai tout mon possible pour être présent. Sûr que je vais participer !

Le prêtre lui posa la main sur l'épaule, comme pour le forcer à regarder.

— Bernard, tu sais que c'est de ta présence physique que notre église a besoin...

Du regard, Abbé Léon accueillait l'Aîné des Anciens, Gor Mag, flandrin qui s'appuyait sur sa longue canne fourchue au sommet.

— Oncle Gor Mag, mes condoléances, dit le premier Bernard.

Le visage proche, les paupières plissées, le vieil homme le reconnut et lui répondit d'un ton amical :

— Yo ! Bernard, nous partageons les mêmes peines du cœur... C'est très bien d'être venu. Ton oncle Mayekor est là avec *Guelwaar-yi*[6], ajouta Gor Mag pour se retourner vers Abbé Léon :

6. *Guelwaar-yi* : les classes d'âge, au pluriel.

— Abbé, les dernières volontés de Perr (Pierre) étaient que sa messe de requiem soit dite en latin.

L'abbé, qui savait déjà cela, domina son irritation. Formé par l'antique théologie chrétienne, avec certains jeunes curés et diacres africains, il était partisan d'une Eglise rénovée, adaptée aux cultures des fidèles. Le front plissé, il répondit :

— Oncle Gor Mag, la volonté du défunt sera respectée.

— Aloys, mes condoléances, dit Bernard en embrassant l'arrivant.

— Cousin, nous partageons les mêmes peines du cœur.

— Je vais saluer *Guelwaar-yi*, s'excusa Bernard.

— Va. Et n'oublie pas la fête de l'église, lui lança Abbé Léon. Et se tournant vers Aloys : C'est l'heure de la levée du corps. Qu'est-ce qu'on attend ?

Une lente et sourde angoisse comprima les commissures de ses lèvres. Ses prunelles rousses s'assombrirent de tristesse.

— Aîné des Anciens, Abbé, on ne trouve pas le corps de père ! lâcha Aloys en reniflant.

— Yo ! Yo ! s'exclama Gor Mag, l'Aîné des Anciens, surpris.

D'instinct, ses mains se portèrent à la fourche de sa canne, le pouce droit redressé et il s'y suspendit. Déjà le décès n'était pas naturel, mais un cadavre qui se volatilise encore moins.

Abbé Léon, la quarantaine passée, calme, se garda de toute manifestation. Le livre refermé, il demanda :

— Avez-vous fouillé l'hôpital ? La morgue ?

— Barthélémy, le médecin et moi avons fouillé de fond en comble l'hôpital en vain, répondit Aloys en changeant la position de ses jambes.

Il transpirait, son visage d'un noir franc brillait. Il dit :

— Barth est allé à la gendarmerie.

— Aîné des Anciens, nous allons attendre Barthélémy, conseilla Abbé Léon.

Il usait rarement de son ascendant pour décider ou orienter.

A pas lents, à demi voûté, Gor Mag se dirigea vers les classes d'âge : *Guelwaar-yi.*

DEUXIÈME PARTIE

— 4 —

Le bâtiment est de style tropical, avec des colonnades. Il servait de résidence et de bureau à tous les commandants-administrateurs qui se sont succédé. Le rez-de chaussée est aménagé en grande salle à moult usages : tribunal pour les « indigènes », espace de consultation des chefs de canton une fois l'an par le résidant de l'époque, salle de bal pour le 14 Juillet, la fête nationale en ce temps-là. A l'Indépendance le gouvernement, dans sa politique agraire, en fit le siège de la Coopérative agricole de la région, la CAR qui fut un gouffre à milliards de nos francs avant la dévaluation du 11 janvier 1994. En trois décennies de gestion, ce fut une catastrophe. Les fonds servirent de ressources à une clientèle électorale, de prébende, de népotisme... A présent, dans la cour s'entassent des carcasses de camions, des débris de voitures de luxe, des moignons de machines agricoles, témoins de la gabegie.

Lors de la nouvelle refonte administrative, le gouvernement y affecta la brigade de la gendarmerie régionale.

Barthélémy Thioune entra dans la grande salle, jadis prétoire, où une demi-douzaine de gendarmes en chemise bleue, commis aux écritures, officiaient. Il balaya d'un regard distant l'intérieur de la pièce avec l'air de dire : « Qui est votre responsable ? » Il évacua par les narines la fumée de sa cigarette à bout doré. Sa désinvolture attira l'attention. Le jeune gendarme de la table du fond l'épiait. Il était fasciné par le costard en riche bazin bleu de nuit, soyeux, la chemise blanche en coton, sans col, boutonnée de côté, le petit porte-document en peau de lézard, ainsi que les chaussures. En connaisseur de fringues il se répétait : « Celui qui se nippe de la sorte n'est pas un culterreux. » De la tête, il le salua, admiratif. Barthélémy lui rendit sa politesse d'un geste de l'index avant d'observer un autre gendarme au front fuyant et plat annonçant une calvitie précoce, qui dressait un procès-verbal. Le banc en face de lui était occupé par une femme habillée d'un boubou de gaze bleu clair, sur sa camisole, un fichu maladroitement noué cachant ses nattes effilochées ; à côté, sa fille de treize à quatorze ans, le regard vif, en pantalon et chemisette, par-dessus un vieux gilet et aux pieds des baskets. A même le carrelage noir et blanc craquelé, usé, deux jeunes gens, chevelure en friche, sale, les mains ligotées derrière, avec sur le dos des zébrures de fouet sanguinolentes, se taisaient.

Barthélémy fit deux pas vers eux, choqué par la violence du spectacle. Le gendarme à l'esprit courtisan céda à une pulsion démonstrative face à cet intrus de classe. Il lut à haute voix :

> *Modu, accompagné de ton acolyte, Daouda, tu as fracturé la porte de la case de ta mère : deux points. Ensuite, tous les deux, vous l'avez ligotée en ta présence, et Daouda a violé ta sœur, Oulimata. Point. Toute la nuit vous vous êtes saoulés de drogue. Point. Et le matin, ta mère a appelé à l'aide.*

Il retraduisit en wolof et glissa rapidement un regard vers Barthélémy. Puis s'adressant à la femme :

— Signe ici. Le chef va les enfermer, et tu seras convoquée ainsi que ta fille le jour du jugement.

Après avoir croisé deux traits en guise de signature, la femme implora :

— Il faut le garder en prison à vie. Il nous terrorise. Il me roue de coups, vole mes économies, oblige sa sœur à coucher avec les hommes et lui prend l'argent.

— Où est son père ?

— Il m'a abandonnée depuis la naissance de cet enfant, dit-elle en désignant la fille à côté.

Le râclement d'une chaise sur les carreaux obligea Barthélémy à se retourner. L'adjudant-chef Gora, en saharienne bleue, accompagnait un notable vêtu d'un grand boubou blanc agrémenté de broderies en fil doré. Ils se serrèrent les mains. Le notable sembla attendre un salut de Barthélémy. Ce dernier, la cigarette à la main, l'observa d'un air suffisant.

— Entrez, Monsieur, l'invita Gora en mettant fin à ce jeu de « qui est qui ».

L'adjudant-chef, commandant de la brigade de gendarmerie, se méfiait de ce genre d'individus trop voyants dans leur mise et très adroits pour obtenir des services.

— Qu'est-ce que la gendarmerie peut faire pour vous ? demanda-t-il comme s'il faisait la réclame d'un produit, lorsqu'ils furent face à face.

— Le cadavre de mon père a disparu de la morgue.

Gora étrangla le fou rire dans sa gorge. Souriant et ironique, il répéta :

— Vous dites, disparu ?

— Oui, disparu, confirma Barthélémy.

Gora devint méfiant. Cet homme au visage frais, habillé de la sorte sous cette canicule, ne lui semblait pas posséder toutes ses facultés : « D'où vient-il ?... Que veut-il ? » L'adjudant-chef avait été affecté ici par mesure disciplinaire. Il avait découvert les malversations de son chef hiérarchique et en avait fourni les preuves. Mais c'était lui qui en pâtissait.

— Il n'est tout de même pas ressuscité, dit Gora avec sarcasme.

— Non, répliqua Barthélémy. Il ne pousse pas des ailes à un macchabée. Je vous répète que le cadavre de mon père a disparu de l'hôpital.

— Eh bin !...

C'était involontaire. Gora tenta de se rattraper.

— Je suis le commandant de ce patelin, et je n'ai jamais eu un « cas » de ce genre ! Quel est le nom de votre père ?

— Guelwaar : Pierre Henri Thioune.

— Guelwaar ! dit Gora avec surprise.

Une ombre passagère traversa sa pensée. L'image d'une visite que lui avait faite le défunt s'imposa à son esprit.

— ... Mais ses obsèques étaient prévues pour ce matin ?

— En effet ! Mais nous n'avons pas retrouvé le corps. Me permettez-vous d'utiliser votre téléphone ?

— Quel est votre numéro ?

— Voici le numéro direct de monsieur Niang, secrétaire général à la Présidence de la République.

Le combiné du téléphone en bakélite noire à la main, l'adjudant-chef de la gendarmerie suspendit son geste. Une appréhension froide l'envahit. Il suffit que ce gus de Niang téléphone du palais de la Présidence de la République au Ministère de l'intérieur, que celui-ci somme le gouverneur de la région, ou s'entende avec le général de brigade commandant de la gendarmerie et les tomates seront cuites.

— Si c'est d'ordre strictement personnel, vous pouvez vous-même composer le numéro. Mais s'il s'agit de feu monsieur votre père, ce n'est pas la peine de déranger monsieur Niang. Je me charge personnellement de ce petit détail. Si vous le permettez, nous allons nous rendre à l'hôpital.

— Quelle Afrique ! prononça Barthélémy.

— Je ne vous le fais pas dire.

En jeep de la gendarmerie, ils se rendirent à l'hôpital.

*
* *

Vivant et travaillant à Paris, Barthélémy était revenu « pour cause d'inhumation » de son père. Hier jeune écolier, la capitale régionale représentait pour lui un univers féerique. Aujourd'hui, avec d'autres yeux, il voyait Dakar ou d'autres lieux différemment, il mesurait la dégradation des sites et villes.

L'entrée en trombe de la jeep dans la cour de l'hôpital le ramena aux réalités présentes. L'adjudant-chef, après une visite au médecin chef vint au pas de charge interroger Abdou, responsable des « sorties » :

— A qui as-tu vendu le cadavre ?

— *Soubanalahi*[7], *Sef*, je n'ai jamais vendu de cadavre !

7. Qu'Allah m'en protège.

L'empoignant avec vigueur, Gora le fit entrer dans la minuscule pièce servant de bureau. Abdou se disculpait par des invocations, prenant Allah à témoin.

— Qu'est-ce que c'est encore, cette connerie ? Vendre des morts ! demanda Barthélémy à Aloys.

— Des corps disparaissent pour servir de fétiches, lui répondit son cadet.

— Des conneries encore ! dit Barthélémy. Et apercevant Abbé Léon qui s'approchait : Abbé, figurez-vous que père décédé s'est évaporé comme ça, dans la nature.

Il accompagna la fin de sa phrase d'un claquement des doigts, démonstration qui eut pour effet de choquer l'homme d'église.

— Barthélémy, si tu ne respectes pas ton père dans la mort, aie au moins du respect pour la communauté présente, le morigéna-t-il. Et Aloys, qu'est-ce qui se passe ?

— Le gendarme Gora. Il est dedans.

Gora réapparut avec un bulletin qu'il exhiba comme un trophée.

— Monsieur Thioune, c'était une simple erreur. Monsieur l'Abbé, bonjour !

— Bonjour !... Quand pourrons-nous disposer du corps ?

— Aujourd'hui, je ne pense pas, répondit Gora. Après réflexion, il ajouta, interrogatif : Demain ? ... Après demain, c'est plus sûr.

— Quoi ?... s'exclama Barthélémy.

— Quelle que soit ta peine, tu dois te maîtriser, lui conseilla l'abbé.

— Monsieur l'Abbé, j'amène monsieur Thioune avec moi.

— Bonne idée ! Barth, tu dois aider monsieur le gendarme, ajouta l'abbé avec des arrière-pensées.

Barthélémy releva le défi en s'installant avec Gora à l'arrière de la jeep.

— 5 —

Depuis des jours et des nuits, cette brume rosâtre plafonnait. Les autochtones du Sahara nomment cette atmosphère « le temps du *feul-feul* », poudre de poussière. Le paysage offrait le spectacle d'une végétation enrobée de mousse vaporeuse. Le soleil anémique, livide, lorgnait. Un souffle suffocant oppressait les narines, faisait larmoyer les yeux. La terre nue, assoiffée, agonisait.

En France, lorsqu'il suivait à la télévision les émissions consacrées à l'avancée du désert et à la sécheresse, Barthélémy ne faisait que visualiser la catastrophe. Contemplant le paysage, il restait prostré. Il éternuait et n'arrêtait pas de se moucher en jetant sur son passage des mouchoirs en papier.

— Mes condoléances, lui dit Gora en allumant lui aussi une cigarette.

— Merci, répondit Barthélémy en se tapotant les narines.

— Vous vivez à Paris ?

— Oui.

— Je n'ai jamais visité l'Europe.

Sentiment d'envie ? Reproche de celui qui n'a jamais quitté l'Afrique ? Rêve de connaître un ailleurs plus clément ?

— Le décès de mon père est consécutif à des coups reçus : une hémorragie interne.

— Personne n'est venu déposer plainte, répondit Gora, dégageant d'avance sa responsabilité. J'ai rencontré Guelwaar une fois, quand il est venu à la brigade.

*
* *

En effet, quelques mois après sa mutation comme commandant de la brigade régionale, Gora l'avait reçu. Guelwaar s'imposait par sa haute taille, son éternel chapeau de feutre marron sur la tête et, en bandoulière, la sacoche en feuilles de rônier. Une force sombre et profonde émanait de lui. Il avait un regard direct où se lisait : « On ne me ment pas. » Il écoutait sans baisser les yeux. Bien calé sur la chaise face à Gora, naturel, il déposa son feutre sur le dossier. Les cheveux blancs coupés à ras conféraient à sa physionomie, malgré son âge, une volonté ferme.

Après les préambules, il dit :

— Je suis venu te prévenir, en ta qualité de représentant de l'ordre social, que des voyous perturbent les réunions des femmes.

Le timbre de la voix n'était pas hésitant, ni chevrotant malgré la vieillesse ; il était ample, roulant. Gora, joyeusement éberlué, lui prêta attention. Depuis quinze ans qu'il assumait ce rôle, ici ou dans d'autres régions, c'était la première fois qu'un vieil homme venait le prévenir d'un incident prochain. Cela l'amusait.

— Pourquoi les femmes ne sont-elles pas venues ?

— Parce que les voyous s'attaquent à ma maison et tentent de les intimider.

— Donc, c'est pour éviter que les voyous saccagent ta maison que tu es là, Tonton ?...

Gora prononça avec respect le mot « Tonton », comme s'il avait appelé Père. Ce vieil homme n'était pas de ceux qui se replient vers le passé, ou qui quémandent des faveurs.

— Je ne permets à personne de violer ma maison. Et les femmes qui s'y réunissent sont sous ma protection.

— J'ai compris, Tonton... A propos, il y a quatre semaines, trois jeunes gens ont eu les bras cassés. Pourquoi ?

— *Wôôô !... Wôôô !...* Je ne sais pas. Par contre, rendre manchots des paysans, ça c'est cruel. Mais tout acte a sa cause.

— Vrai, Tonton ! De cause à effet, disent les tubabs ! Bin ! ... Alors les femmes tiennent des réunions chez toi. De quoi parlent-elles ?

— De quoi parlent-elles ? s'enquit Guelwaar en levant son menton rasé de frais. Elles parlent de la famine, de la sécheresse, des détournements, de l'enrichissement illicite, de mariage, de divorce, de baptême, de décès, de solidarité chrétienne...

Tout en énumérant, les yeux de Guelwaar ne quittaient pas ceux du gendarme.

— Mais Tonton, elles font de la politique, chez toi !

— Est-ce qu'il y a une loi qui interdit aux citoyens de parler de la situation catastrophique du pays ? demanda le vieil homme.

A travers la fente des yeux ourlés de poils blancs surgissaient des prunelles humides, aux éclats de mercure. L'œil droit plus grand, immobile, traquait et écoutait les pensées du gendarme.

— Non, Tonton, avoua Gora ; et s'adressant à son adjoint : Gaston, tu prends sa déposition : plainte contre X.

— La plainte est déjà écrite.

De sa sacoche, Guelwaar a extrait une feuille dactylographiée et l'a déposée devant Gora.

— Elle est même signée.

— Par *Guelwaar-yi* ! Bien que nous soyons chrétiens, nous ne tendons pas l'autre joue. Je te remercie de m'avoir écouté.

Sans un mot de plus, recoiffé, Guelwaar sortit. Par la fenêtre, Gora l'aperçut traversant la cour, accompagné de la jeune fille Yandé et d'Etienne, son neveu.

Gora garda de cette visite un sentiment confus. Il ne parlera pas à Barthélémy de l'épisode suivant.

Lors d'une réunion de concertation des responsables administratifs en présence de monsieur Amadou Fall, député-maire, Gora s'aboucha avec le préfet.

— Qui ?... demanda le préfet, faisant la sourde oreille.

— Guelwaar : Pierre Henri Thioune.

— Il faut vous adresser à monsieur le député-maire, répondit le préfet, le timbre haut afin d'être entendu.

— De quoi s'agit-il, questionna Amadou Fall, de l'autre côté de la table.

— Le commandant de gendarmerie veut savoir qui est ce Guelwaar.

— Justement, Commandant, nous allons en parler après le travail.

La séance levée, Amadou Fall harponna l'adjudant-chef-gendarme, un novice dans le secteur. Il cherchait à le briffer. Le député-maire, de taille moyenne, bien enrobé, s'habillait même sous la canicule d'un complet trois pièces. Il ne se plaignait pas de la chaleur. Il est vrai que ses cinq voitures de luxe, son bureau et les chambres à coucher de ses trois épouses étaient climatisés. La figure poupine, les pommettes luisantes, les cheveux teints en noir, il avait passé la cinquantaine. Premier responsable politique régional du parti au pouvoir, il sut des années durant protéger son fief en dispensant des prébendes aux notables religieux et traditionnels. Rusé et habile en diversion devant une situation qui le surprenait ou qu'il ne contrôlait pas, il éclatait d'un gros rire animal — la férocité de l'hyène — et tapotait le dos, prenait le bras ou l'épaule de son interlocuteur, pour aplanir la houle, usant de la flagornerie avant d'écraser l'adversaire.

D'instinct, il voulut passer son bras sur l'épaule de Gora, plus grand que lui. Celui-ci le repoussa.

— Oh ! Ce n'est rien ! dit-il en ricanant... Mettons-nous là.

Installés près de la fenêtre-vitrine saupoudrée de particules de poussière, il offrit une cigarette au gendarme, qui remarqua la récente application de teinture sur la chevelure. Gora lui expliqua les détails de la plainte de Guelwaar.

— Justement, Commandant, ces énergumènes se dénomment *Guelwaar-yi*... Ils ont suscité la désobéissance civile : non-acquittement de la taxe rurale et refus de cultiver du coton ! Vous devez les avoir à l'œil.

— Ils ont déposé une plainte contre X. Des voyous intimident les femmes qui se réunissent chez *Guelwaar-yi*.

— Quel culot ! C'est lui et sa bande qui ont cassé les bras des trois jeunes paysans. Commandant, *Guelwaar-yi* ne connaissent que la manière forte, votre prédécesseur les aurait coffrés. Avec le procureur, on peut fignoler un bon dossier.

— Ce n'est pas respecter les lois, et ce n'est pas

ma méthode. Et mon prédécesseur a payé très cher cette histoire de taxe. On vous attend.

Debout, Amadou Fall lui prit la main :

— Monsieur le Commandant, en province, un député-maire a d'énormes possibilités. Et je sais que nos supérieurs ne sont pas tous de vos bons amis.

— Vous non plus, vous n'êtes pas un ami.

Sur ce, Gora le laissa... Un groupe de laudateurs entoura le député.

TROISIÈME PARTIE

— 6 —

Jamais de mémoire d'homme, mort ne fut plus vivant. La disparition du corps de Guelwaar ravivait, en la nourrissant, l'antique frayeur des fétiches. L'onde de terreur assujettissait les esprits.

Pour les Anciens, c'était une épreuve morale cuisante. Ils n'avaient jamais vécu semblable situation. Jusqu'à ce jour, leur vie d'homme s'était étoffée de labeur, de faits quotidiens au niveau du village, de la contrée. Ils trouvaient la solution en puisant dans les legs de leurs ascendants. Leurs arrière-grands-parents, leurs parents avaient, eux aussi, mené cette existence dans un halo sécuritaire économique, sous l'autorité de l'administration coloniale. Aussi profondément qu'ils pouvaient remonter dans leurs souvenirs, ils ne trouvaient que le vide, le néant. Il ne leur restait qu'à faire front et s'aggriper au mythe, à l'espoir de la croyance... Et quelle croyance ?...

La vie d'aujourd'hui, trop rapide, avec ses mutations accélérées, les tourmentait. Frileux, ils vivaient en essaims, en grappes, évitant d'être seuls et anonymes.

Consternés, hommes et femmes quittèrent la morgue en caravane de charrettes pour la concession mortuaire.

La maison devint un théâtre d'ombres au mitan du jour. Coutumiers, ils formèrent deux pôles : les femmes d'un côté, de l'autre les hommes. Unis par la même pensée, les regards tournés à l'intérieur d'eux-mêmes, ils se questionnaient :

« Qui a volé le corps ? », « Pour quel sacrifice ? » La réponse restait en suspens. Ces interrogations tenaces faisaient resurgir l'héritage ancestral, datant d'avant la conversion à la religion chrétienne de leurs arrière, arrière-grands-parents.

Le mutisme, au fil des minutes, devint comme un immense requiem de silence. Le timbre d'une voix haute, un simple heurt d'objet se répercutaient avec fracas dans les cerveaux.

Se retournaient aussi, une, deux, trois paires d'yeux chargés de reproches. L'outrecuidant abaissait son regard, honteux. Climat de *decc*[8] taciturne, communion sincère dans une cathédrale à ciel ouvert.

Dans l'épaisse frondaison du caïlcédrat, un couple de tourterelles roucoulait...

Peu à peu, les langues se délièrent. On se susurrait les commentaires, les supputations : « Guelwaar avait la trempe d'un lion. On a volé son corps pour manger le cœur. » On parlait des organes découpés, d'un mari jaloux qui se venge. Chacun et chacune savait et exprimait ce qu'il pensait savoir.

Devant l'entrée principale, Aloys, assisté de l'abbé Léon qui avait quitté ses ornements et était en soutane blanche, accueillait parents, amis, membres de la paroisse venus pour le *jaale*[9], apportant leur *jaxal*[10] : riz, maïs, arachide, niébé, fonio, patate douce, mil, huile de palme, etc. Ils répétaient toutes et tous la même rengaine :

8. *Decc* : veillée funèbre et sa durée.
9. *Jaale* : présentation des condoléances.
10. *Jaxal* : offrande participative au repas du *decc*.

— Aloys, Sophie, nos condoléances.
— Nous partageons les mêmes peines du cœur.
Boîtant, Aloys grimpait les quelques marches conduisant au salon transformé en chapelle ardente et qui baignait dans la pénombre malgré les bougies allumées. Nogoye Marie et les femmes d'âge égrenaient leurs chapelets. Bruissait le souffle des prières, tel un ruisseau.
Hommes et femmes se succédaient à l'intérieur, puis ressortaient prendre place dans la cour.
— Abbé, mes condoléances, prononça la voix chevrotante, bien féminine, de la doyenne Augustine.
Son nom africain était Mbissil. On disait qu'elle était centenaire. De petite taille, le visage plissé, elle se recouvrait la tête d'un pagne au tissage très ancien, à bandes noires et violettes.
— Maam[11] Augustine ! Nous partageons les mêmes peines du cœur, lui répondit l'abbé en coinçant son index entre les pages de son livre de prière. Et pour la taquiner : Maam, tu ressembles à une fille le matin de sa première communion.
Elle rit, montrant des gencives vides.
— Abbé, est-il vrai qu'on a volé le corps de Guelwaar ? Aujourd'hui, les gens ne respectent plus rien. J'ai hâte de rencontrer notre Seigneur.
— Maam, aie confiance en notre Seigneur. Sophie, conduis Maam Mbissil auprès de ta mère. J'espère que tu n'as pas oublié ton chapelet.
La Doyenne était adulée par la communauté. Et les petits-fils aimaient la provoquer. Selon la température du jour, la vieille se plongeait dans un état végétal pendant un moment, et lorsqu'elle émergeait, les adolescents se répétaient : « Elle est revenue de *Ndianiw*[12]. » On l'asticotait de ques-

11. Maam : grand-mère ou grand-père.
12. *Ndianiw* : royaume ou pays des morts.

tions : « Maam, comment se portent les gens de l'Autre Monde ? »

— Ils sont mieux lotis que nous, ici.

— Pourquoi tu ne restes pas avec eux ? Ton mari et tes enfants sont là-bas.

— *Roog* ne veut pas encore de moi.

L'auditoire réagissait gaiement... Elle s'esclaffait.

L'abbé suivit des yeux la vieille et Sophie qui accédaient au perron. La disparition du corps l'affectait durement. Il savait que sa présence était un réconfort moral. Témoin des conflits entre paysans et agents de l'administration, il se retenait de manifester sa désapprobation, en privé comme en public.

Lors d'une audience avec son vicaire, celui-ci avait conclu :

— Le saint Père a dit : « Il n'appartient pas aux pasteurs de notre Eglise d'intervenir directement dans la construction politique et l'organisation sociale. » Notre mission est au-dessus du temporel.

Fermement soumis à son engagement et à la charge d'âme pour laquelle il avait reçu l'ordination, il ne pouvait qu'obéir. Crucifié par son serment, il rêvait néanmoins de recevoir une lettre pastorale de ses supérieurs condamnant la conduite de certains représentants de l'administration.

Son Livre des morts ouvert, il reprit sa lecture, solitaire, en allant et venant.

*
* *

Côté cour, *Morom-yi* s'activaient aux préparatifs des repas et rafraîchissements. Les femmes de l'association féminine se distinguaient par l'unité de ton orange pâle de leur habillement. En signe de deuil, elles arboraient un scapulaire noir, cousu sur un coussin d'étoffe blanche épinglé sur leur poitrine, du côté gauche. Divisées en deux groupes, les unes se chargeaient de servir, les autres restaient à la cuisine.

Dame Véronique, la cheftaine, réglait la bonne ordonnance du service. Elle portait un soin particulier à sa personne par des bains quotidiens aux herbes et des soins au beurre de karité pour tonifier et raffermir sa peau. Bien que mère de famille de huit enfants, dont l'aîné avait plus de vingt-cinq ans, le puîné onze, elle conservait le port et le maintien d'une femme de trente-cinq ans. Aux interrogations des autres mères de famille, elle répondait : « Je tiens le secret de la mère de ma mère. Une femme se doit d'entretenir son corps et de cultiver sa féminité. » A chaque mouvement de ses bras s'échappait d'elle un soupçon d'effluves suaves et épicées.

— Véro !... Véro !... l'appela Thérèse, la préposée à la cuisson de la viande, son bébé à califourchon sur son dos.

— Quoi encore ?... répondit-elle en venant rapidement car on l'attendait ailleurs.

— Ma langue est pâteuse, aujourd'hui. Veux-tu goûter pour me dire si je dois ajouter du sel ?

Véronique fit couler de la louche en bois sculptée une petite rasade de bouillon dans sa paume droite. Par trois fois, avec la pointe de sa langue, elle goûta.

— Passe-moi le sel fin.

L'ombre de la palissade en lattes de bambou abritait les jeunes femmes chargées de façonner avec leurs mains les boulettes de *nakka*. Elles s'étaient divisées en petits groupes. Près des marmites, Joséphine, filiforme, le rire facile, avec une dentition proéminente ; Anna, épanouie, visage bien rond, la peau d'un noir d'aubergine. Par coquetterie, elle s'était fait sur chaque pommette deux scarifications. Juste des griffes d'à peine deux centimètres de long. Elle accentuait les cicatrices par une touche d'antimoine bleuté. Par son jeu de regard émanait de son visage et de sa personne une féminité assurée. Moulant un *nakka* elle dit :

— Si ta cuisson manque de saveur, c'est la preuve qu'il t'en manque à l'*endroit*.

Les autres, oublieuses du lieu et des circonstances, pouffèrent de rire. Thérèse, qui avait leur âge, émit un long sifflement insolent et ajouta :

— Regardez !... Regardez, je ne porte pas sur mon dos un avorton. Et mes seins sont pleins. J'ai tout et tout reçu de mon homme. Et vous savez que mon mâle n'est pas un minus : je n'irai pas ailleurs.

— Hey ! Thérèse, tais-toi... Réduis ton feu. Toi, Anna, hâte-toi pour distribuer les *nakka*, décida Dame Véronique pour les calmer.

S'éloignant de quelques pas, elle entendit Anna dire :

— Je n'ai jamais vu ni entendu ça ! Un *decc* sans cadavre, et sortir en offrande du *nakka* !

— Anna, ce n'est pas parce que « tu connais l'homme » que tu peux prétendre tout savoir de la vie, répliqua Véronique en cherchant à lui clouer le bec.

Son allusion, « tu connais l'homme », n'était pas une généralité. Il s'était ébruité qu'Anna avait été la dernière conquête du défunt. Bien des années auparavant, Dame Véronique avait eu sa saison avec l'homme. Bien vrai, le défunt n'avait jamais été un être de grande vertu avec les belles.

— Où est le corps ? s'entêta Anna, faisant face

à cette vieille (Véronique était de deux ans plus âgée que sa mère).

Une lueur de provocation traversa les gros yeux d'Anna. Le sourire moqueur affiché évasa sa bouche, les deux paires de cicatrices sur ses joues se rétractèrent.

Véronique vit dans cette mimique une provocation de rivalité de co-épouses, l'ancienne et la récente.

— Le *nakka* est l'offrande qui accompagne l'âme du mort pendant son voyage vers *Ndianiw*, crut bon de révéler Dame Véronique à ces jeunes femmes ignorantes. Et elle lança : Anna, veux-tu te repaître de la chair de Guelwaar ? Est-ce que même ce n'est pas déjà fait ?... J'écoute !...

Les lèvres d'Anna, assommée, s'écartèrent en montrant des fils ténus de salive. Même en plaisantant, il n'est pas bon d'être accusé de *demme*[13]. Contente de lui avoir enfin rabaissé le caquet, Véronique, pour conserver son ascendant, ordonna :

— Commence la distribution par les doyens. Puisque tu aimes les hommes âgés...

Anna, désarçonnée, partit avec sa charge de *nakka*.

— *Niaw* ! ponctua Thérèse, contente d'être vengée.

*

* *

Après la présentation des condoléances à la veuve, ceux qui étaient venus pour le *decc* se voyaient installer dans la cour principale. Dans un

---

13. *Demme* : anthropophagie.

sourd brouhaha, les gens entraient, sortaient, le maintien sobre et pieux.

Les doyens — *Guelwaar-yi* — appellation qu'ils s'étaient donnée il y a de cela plus de la moitié de notre siècle, leur était restée. Jeunes, alors en pleine force, sûrs d'eux, ils allaient de village en village et participaient aux *mbapatt*[14] après les récoltes. Leurs nombreuses victoires sur les lutteurs adverses confirmèrent leur renommée qui dépassa la région. Auréolés de leur succès, ils firent des ravages parmi la gent féminine de leur classe d'âge.

Du noyau fondateur de *Guelwaar-yi*, à présent ne restent plus que huit personnes. Le puîné Mayekor compte cinquante-six pluies ; Gor Mag, « Aîné des Anciens », soixante-douze pluies. Habillés des mêmes couleurs, un tissu verdâtre avec des rayures rouges et à l'épaule droite une bande d'étoffe jaune, sur la tête le chapeau en feutre de coloris différents, usé par le soleil, ils étaient installés à l'ombre du caïlcédrat sur des chaises métalliques louées. Les gens les saluaient avec déférence. Les femmes — quel que soit l'âge — exécutaient la génuflexion d'usage, puis s'éloignaient dare-dare.

L'Aîné des Anciens, Gor Mag, assis avec sa longue canne plantée entre ses genoux, oscillait comme animé par le flux et le reflux de ses réflexions. Il avait été le dernier à parler avec le défunt. Ensemble ils avaient évoqué le « meeting » de donation des dons alimentaires. Fiers d'avoir dénoncé la mendicité nationale devant les autorités, les donateurs, les notables et le peuple, ils s'étaient congratulés. Tard dans la nuit, ils s'étaient séparés.

14. *Mbapatt* : lutte nocturne.

Le lendemain à l'aube, au moment où il s'apprêtait à aller au champ, Aloys était venu l'informer de l'agression perpétrée contre Guelwaar. Hospitalisé, Guelwaar mourait cinq jours plus tard. Et en ce jour des obsèques, voilà que disparaissait le corps...

Cette histoire compromettait sa dignité, son autorité. Il était l'Aîné, le mentor, celui qui, pour chaque situation, devait proposer ou trouver des solutions. Gor Mag éprouvait de très profonds remords. Il reconnaissait la véracité des propos tenus par Guelwaar, qui les avait payés de sa vie. Un sentiment d'accablement l'étouffait. Le regard vide, il ne voyait rien. En dedans, il était encore plus vide. Un abîme. Son orgueil et son honneur étaient tachés.

A sa droite, le doyen Guignane, la tête dodelinante, fumait sa pipe en terre du pays.

L'irruption d'Anna avec les *nakka* brisa la surface lisse de ses pensées. Gor Mag se signa, prit une boule du van. Il en prit une bouchée qu'il eut du mal à avaler. Il s'étira et respira fort.

— Avec quoi allons-nous faire passer ça ? demanda-t-il agressif.

Au sommet de ses doigts réunis trônait une demi-boulette portant l'empreinte de ses dents.

— Je vais le dire à tante Véronique, répondit Anna intimidée.

— Répète à Véronique que le *nakka* sert de viaduc au défunt pour le voyage de son âme vers *Ndianiw.* Alors il faut le faire descendre rapidement.

Le doyen René, sourd depuis son enfance, suivait la discussion des yeux. Il déchiffrait grâce aux mouvements des lèvres et à l'expression des visages ce que disaient les autres. Cette infirmité auditive l'avait doté d'un sens de perception visuelle très aigu. Discret de par son handicap, il levait sur la jeune femme un regard d'une douceur blessée.

— Va, ponctua Gor Mag.

Anna, embarrassée par tant d'yeux masculins fixés sur elle, ressentit des troubles pudiques. Les jambes cotonneuses, mordillant ses lèvres, elle continua son service.

— Enfin, Alfred ! s'écria Guignane, qui de la main attira l'attention de Mayekor en direction de la porte d'entrée principale.

Mayekor sourit comme un enfant qui voit arriver une personne aimée.

— Il va encore pleurer pour ne pas s'acquitter de l'amende.

Depuis le décès de Guelwaar, Alfred était le second de Gor Mag. Il présenta ses condoléances à Aloys, Abbé Léon et embrassa sur les joues Sophie. Il était vêtu comme ceux du groupe. Sur son chapeau marron, du côté du nœud, il avait piqué une plume de paon. Il avait été instituteur d'enseignement primaire, et aujourd'hui il bénéficiait d'une rente trimestrielle. Fou de lecture, d'anciens journaux dépassaient de ses poches.

Après avoir salué ses congénères, il prit place à côté de Gor Mag.

— Je sais que je suis en retard. J'avais pensé vous rejoindre à l'église. On m'a dit ce qui s'est passé.

Gor Mag le toisait de côté, et il lui vint à l'esprit le sobriquet de jeunesse : *Beti Ndiombor*[15]. Alfred avait de gros yeux de lièvre, qu'agrandissaient ses verres à double foyer. Les branches en acier de ses besicles s'incrustaient dans l'espace creux de ses os saillants.

---

15. *Beti Ndiombor* : yeux de lièvre.

— Qu'est-ce que nous allons faire ? questionna-t-il.

Mayekor fixa Alfred avec ses yeux plein de reproches, puis fit courir son regard de l'un à l'autre de *Guelwaar-yi*. Alfred constata que personne ne lui répondait, qu'on lui faisait la tête comme lorsqu'ils étaient des gamins. Il sortit un ancien numéro de journal pour s'isoler d'eux.

Un couple de tourterelles se posa sur le sol. Le mâle aux aguets, méfiant, resta accouplé un court instant. Rassuré, il fit quelques pas, suivi de la femelle. Gor Mag, les regardait picorer. Les oiseaux s'envolèrent à tire d'ailes.

— Gor Mag, *Lamane-yi*[16] sont arrivés. Ils entrent par la petite porte, vint annoncer Dame Véronique hâtivement.

— Appelle Aloys, Abbé Léon, ordonna Gor Mag en se levant.

La porte secondaire s'ouvrait vers les longaniers et sur la perspective des baobabs nains. Voici *Lamane-yi*, six vieillards vêtus de frocs descendant à mi-genoux, à l'épaule une bande de coton blanc. Chacun arborait aussi un chapeau. Dibocor, leur doyen, était l'oncle maternel du défunt, et sa présence en ce jour était plus qu'un devoir, c'était une charge. Les compères tenaient à lui témoigner leur affection et partageaient ses moments de tristesse : un neveu vaut plus qu'un fils.

— Aloys, nos condoléances.

— Maam, nous partageons les mêmes peines du cœur.

— Abbé Léon, *Lamane-yi* te saluent.

— Oncle, paix de part et d'autre.

— *Guelwaar-yi*, nos condoléances.

---

16. *Lamane* : maître de la terre. Pluriel : *Lamane-yi*

— *Lamane-yi*, nous partageons les mêmes peines du cœur.

— Aloys, ceci est notre *jaaxal* pour le *decc*, ajouta Dibocor en faisant pivoter sa longue canne vers deux cabris, trois paniers de riz de leur récolte, trois poulets et une bonbonne d'alcool de mil.

— Véronique, occupe-toi du *jaaxal*, ordonna Gor Mag. Et parlant à Dibocor : Oncle, je vais te conduire, ainsi que mes oncles qui t'accompagneront auprès de ta nièce Nogoye Marie.

Comme il seyait, Gor Mag respectait le protocole et rappelait l'ordre des rangs.

*
* *

Après les condoléances présentées à la nièce et à la veuve Nogoye Marie, *Lamane-yi* vinrent partager avec *Guelwaar-yi* l'ombre du caïlcédrat. Ils s'installèrent en rond, les deux doyens côte à côte.

— A-t-on retrouvé le corps ? questionna Dibocor (son nom chrétien est Jean), le regard inquisiteur. Le rebord de son chapeau de feutre de couleur beige passé étalait une zone d'ombre qui cachait la moitié de son visage : on ne voyait que les narines évasées, le menton recouvert de poils blancs drus.

— Barth et le gendarme sont allés à la recherche du corps, répondit Gor Mag, se justifiant.

— Qui est... Bar... ? Bar... ?

— Barthélémy, le fils aîné de ton neveu ! Il est revenu de France il y a trois jours. C'est lui qui s'occupe de tout.

— Son nom est Cithor, comme le nom de mon grand-père. Ce nom de Bar... est son nom catholique. Cithor n'est pas encore venu m'honorer...

— Depuis son retour...

Anna et Joséphine se présentèrent : la première avec les *nakka,* la deuxième avec les cannettes de bière. Elles se mirent à genoux pour officier. Le doyen Dibocor prit une boulette.

— Sans l'avoir inhumé, vous présentez les *nakka* ?...

Guelwaar-yi, silencieux, ressentaient un réel malaise comme des enfants pris en flagrant délit de mensonge. Lentement Dibocor fit errer ses yeux de rapace sur chacun.

— ... C'est après avoir inhumé que se distribuent les *nakka,* acheva-t-il en déposant le sien sur le van.

Lamane-yi firent de même.

Dibocor prit une canette de bière que Joséphine s'empressa de décapsuler.

— Anna, mes condoléances, dit Dibocor.

Son île secrète abritait les rapports adultérins avec le défunt.

— Oncle, nous partageons les mêmes peines du cœur, répondit-elle en sortant en hâte du cercle... avec Joséphine.

Avant de boire au goulot, *Lamane-yi* firent le geste de libation à l'esprit de tous les morts : verser la goutte au sol.

Le ton emporté d'Abbé Léon les obligea à se retourner.

— Etienne, qu'est-ce que c'est que ce « machin » ?

Des adolescents — une douzaine au seuil de l'entrée — brandissaient une croix en câble de fil électrique dégainé : c'était un Christ sans chair.

Etienne, âgé de quinze ans, neveu élevé par le défunt, faisait déjà figure de proue. Contrairement à leurs devanciers, ces jeunes intégraient les filles à leur équipe.

— Cousin Aloys, nos condoléances. Ces poulets sont notre *jaaxal* dit Etienne comme s'il n'avait pas entendu la question du prêtre.

— Aloys, nous avons acheté ce *jaaxal,* ajouta Yandé, la jeune fille à côté de la croix.

— Nous partageons les mêmes peines du cœur, répondit Aloys.

— Nous voulons présenter nos compassions à grand-mère.

— Etienne, ce « machin » ne rentrera pas dans la chapelle ardente, décida Abbé Léon.

Il aurait voulu que cette imposture de croix n'eût pas existé. Il ne pouvait pas user d'acte de violence devant tout ce monde.

Dans un silence têtu, qui traduisait une énergie volontaire, Etienne regarda la bande. Puis il dit :

— Nous serons deux, Yandé et moi.

Ce nouveau germe à la tige fragile, qui grandissait sur un sol ingrat, tourmentait Abbé Léon. Comme son tuteur, Etienne avait le défi à ras de cil et dédaignait tout conformisme.

*
* *

Les lueurs tremblotantes des bougies revêtaient le salon d'ombres transparentes semblables à d'anciennes feuilles séchées. Les femmes, tout à leurs oraisons, étaient muettes. Devant la table couverte d'un tissu noir, deux bougies, une à chaque bout. Sous l'image du Christ sur la croix, la photo ancienne de Pierre Henri Thioune. Etienne, front baissé, priait. Yandé, intimidée par la mystique du lieu et le silence monacal, se collait à Etienne qui la sentait contre son dos.

Abbé Léon se pencha à l'oreille de Nogoye Marie pour lui souffler :

— Marie, le neveu Etienne et ses copains sont venus te présenter leurs condoléances.

Nogoye Marie leva les yeux de son chapelet, le visage éprouvé, et prononça d'une voix mal assurée :

— Etienne, et vous mes enfants, priez pour lui.

— Nous le ferons, grand-mère, répondit Etienne.

Il céda sa place à Yandé, face à la chapelle, puis lui tint l'épaule. Yandé se dégagea de cette main secourable... Elle était grande, pour une fille de quatorze ans. Elle avait un teint noir uni, des yeux en amande, les cheveux nattés trois par trois.

Au début de la formation de leur groupe, les parents s'y étaient opposés par crainte de la promiscuité. Mais les jeunes n'eurent cure des craintes des grandes personnes. Depuis cinq ans, aucun parent ne s'était plaint.

— *Ndeyssane*, prononça la vieille Augustine, revenue à l'instant même de son naufrage intérieur.

Abbé Léon reconduisit les deux enfants.

Etienne et sa clique saluèrent les Anciens, puis allèrent occuper la cour domestique avec leur croix. Ils se plantèrent près du cercueil vide, bordé de couronnes artificielles.

Le temps des effusions et des accolades s'étirait.

Les doyens restaient silencieux. Alfred, nuque inclinée, suivait de ses gros yeux la ronde d'une abeille autour de la mousse blanchâtre de sa bière. René, le sourd, l'observait.

En se déplaçant sur sa chaise, du coude le doyen

Dibocor frôla Gor Mag. Ils se firent face. Gor Mag attira sa canne vers lui en laissant un tracé sur le sol. Et sa main moite remonta la hampe pour se refermer dessus solidement. Dibocor, initié, vit et comprit l'invite, exécuta le même geste. Sans prononcer un mot, ensemble ils se levèrent pour sortir de la concession par la seconde porte.

Guelwaar-yi et *Lamane-yi* regardaient les deux hommes s'éloigner.

QUATRIÈME PARTIE

— 7 —

A mi-récit, je dois vous ramener en arrière, pour vous narrer ce qui s'était passé, bien avant le soleil de ce funeste jour. Conteur, je ne dois omettre personne et situer chacun à sa place, même minime dans cette fable.

C'est le doyen Guignane, ce papelard invétéré, qui a été le vecteur du refus des dons. En fait, l'idée est née d'un profond différend matrimonial avec sa première épouse.

Chrétien de naissance, de famille chrétienne connue, Guignane prit une seconde épouse, une cousine au doux nom d'Honorine. Honorine symbolisait l'innocence même. Falote avec un corps de femme. Une terre à labourer. Elle avait dix-huit ans lorsque son mari, Guignane, comptabilisait deux fois les mêmes saisons de pluie, avec des lunes en plus. Selon l'orthodoxie de cette croyance, Guignane avait gravement fauté. L'union eut lieu « ex-cathedra », mais selon la tradition.

Et lorsque Guignane vint présenter Honorine à sa « grande sœur » Angèle, celle-ci dissimula sa haine brûlante en feignant la soumission, comme le dictait la société. Angèle, première épouse, se montrait, en public, complaisante auprès de sa « petite sœur » qui avait l'âge de sa fille aînée. Angèle se construisit au fil des mois, des années, une image douce, serviable. On la congratulait, la louait pour son comportement et sa largesse d'esprit. Les hommes pour se justifier et se démarquer des islamistes répétaient : « La polygamie est bien antérieure aux religions. »

Rancunière, Angèle entretenait sa blessure comme la fine rosée qui nourrit la rouille sur du métal noir. Sa volonté de se venger, d'humilier Guignane était son jardin secret. Elle n'aurait aucune miséricorde pour tout ce qui pourrait arriver à l'homme. Impitoyable, elle exigeait ses *moome*[17]. En tête à tête avec le mari, Angèle se mutait en boule de feu, chauffée à blanc. La générosité, l'indulgence dont elle faisait montre devant les tiers s'asséchaient. A leur place s'étendait une plaie bavant de fiel.

— C'est la volonté de Dieu, répondait Guignane, se réfugiant derrière le Créateur.

— Dieu !... Dieu !... C'est lui qui t'a soufflé à l'oreille de prendre une deuxième ? Dieu n'a rien à y voir.

— C'est une parente !... Une cousine !... Tu dois comprendre.

— La femme que tu baises n'est pas une parente. Ou alors, tu pratiques l'inceste, répliqua Angèle, acerbe, la figure épaisse. Ses yeux en feu dans ceux de Guignane.

Guignane fuyait toute discussion avec Angèle. Il faisait confiance au temps, croyant que la rébellion de la femme finirait par s'étouffer.

Jadis, Angèle était une vraie Vénus diola, aux hanches généreuses et à la croupe callipyge. Guignane, jeune homme, avait un faible pour ce type de femme. Il s'amouracha d'Angèle. L'époque coïn-

17. *Moome* = *aye* : nombre de jours et nuits partagés avec le mari ou l'épouse.

cidait avec la renommée et la popularité de *Guelwaar-yi*. Chez les jeunes filles d'alors, chacune rêvait de ces battants et de ces dandys. Pour compenser le volume de son corps, Angèle sortit le grand jeu de séduction. Guignane succomba.

Et le mariage — le premier — fut chrétien, avec des réjouissances dignes du temps de l'abondance. Nageant dans une mer de félicité, Guignane ne tarissait pas d'éloges pour Angèle. Celle-ci, sachant y faire, lui achetait son tabac pour la pipe, lui payait des tissus en cotonnade de fabrication anglaise, importés de Banjul (République de Gambie).

Femme bien en chair, il n'était pas facile de deviner qu'Angèle était enceinte. Acharnée au travail, elle n'était pas portée à ses devoirs conjugaux. Quant à Guignane, il semblait satisfait.

Des saisons avec ou sans pluies se succédèrent. La vie se poursuivait sans rien résoudre des ressentiments de la femme.

Angèle vieillissait. Sa peau se flétrissait, couverte d'une myriade de minuscules écailles. Dure à la besogne, debout avant l'aurore, couchée tard, elle se soustrayait du groupe pour ne s'occuper que de ses cinq enfants.

Honorine, féconde, avait à chaque fin d'hivernage un enfant. En moins de sept ans de mariage, elle avait eu cinq enfants. De santé fragile, elle avait maigri. Elle appréciait le lait en poudre, le sucre, la farine, les savons, l'huile que Guignane apportait.

A l'étroit dans sa concession, Guignane souhaitait obtenir l'indulgence de sa première épouse.

— Angèle, le pardon est chrétien.

— Quand tu bandes avec Honorine, tu penses chrétien ? Avec moi, tu es un chiffon mouillé.

La crudité du langage choqua profondément le vieil homme. Les propos qu'ils avaient élaborés dans la journée se diluèrent. Il dit :

— Il ne me reste plus qu'à mourir.

Debout face à lui, Angèle le dévisagea longuement pour lui lancer :

— Rien ne s'intercale entre toi et la mort.

« Yo ! » Le cri s'était échappé de ses tripes. La bouche ouverte, la pipe glissa pour tomber. Il la rattrapa d'une main sans ressentir la chaleur du fourneau. Il partit sans un autre mot.

Guignane, comme ceux de sa classe d'âge appelés « troisième âge » aujourd'hui, recevait des aliments des associations caritatives. Les pères de famille s'alignaient face à une tribune décorée de drapeaux européens, en présence des ministres, des députés, des ambassadeurs, des chefs de village, pour se voir attribuer un lot. Les vieux hommes se décoiffaient, cheveux au soleil, pour dire : « *Jerejef* ! *Jerejef* ! Merci ! Merci ! » Guignane rapportait chaque fois des denrées.

— C'est quoi, ça encore ? demanda Angèle, lorsqu'il déposa son lot devant elle.

Accroupi, il étala cinq kilos de Rice Uncle Ben's, trois kilos de lait en poudre, de la farine, du sucre, deux sachets de bouillons et des biscuits.

— Je viens du meeting, dit-il en montrant les aliments avec un sentiment de fierté. Il leva les yeux, sollicitant une petite risette de gratification.

— Tchim ! Mes enfants et moi, nous ne vivons pas d'aumône, lui répondit-elle.

— Angèle, tu es vraiment une mauvaise langue ! Ça, ce sont les tubabs qui nous l'ont donné, dit-il ; et dans un sursaut d'orgueil, il parla plus fort : Tu sais bien qu'aucun tubab n'a osé nous manquer de respect à nous Sénégalais, même à l'époque coloniale. Nous sommes maintenant indépendants... Nous sommes libres.

— C'est de la mendicité, ce que tu fais, clama-t-elle, sarcastique, en élevant la voix afin d'être entendue. De ses courtes et épaisses jambes, elle enjamba les denrées. « C'est être mendiant, ce que tu fais. »

— Est-ce que c'est moi qui suis allé au pays des tubabs pour leur demander ça ?

— Non ! Non !... Ce n'est pas toi qui as été au pays des tubabs pour leur dire en pleurant : « Nos épouses et nos enfants n'ont plus rien à manger. » Non !... Non !... Ce n'est pas toi, Antoine[18]. Mais tes semblables, Antoine. Des gens du *Gufernement*[19].

Voyant que les habitants de la maison écoutaient, à l'aise devant l'auditoire féminin, elle se vida rageusement :

— ... Jamais nos parents n'ont attendu de personne encore moins des tubabs, leur nourriture pour eux et leurs enfants. Sans les tubabs, toi et tes semblables au *Gufernement*, vous créveriez de faim. Et tu parles d'Indépendance ! L'Indépendance est valable pour le père de famille qui nourrit sa famille... S'il ne le peut pas, il n'est pas indépendant. Des épaves ! Aucune dignité !

En vraie *mbadakatt*[20], Angèle avait l'adhésion du public. Débordante de vitalité tant sa haine était puissante, elle déplaçait son corps volumineux avec souplesse. Ses bras courts accompagnaient l'avalanche de son verbe riche et coloré. Ses pro-

18. Nom chrétien de Guignane.
19. Gouvernement.
20. *Mbadakatt* : type de comédien, diseur satirique. Il est son propre auteur, acteur et metteur en scène. Il est récompensé selon l'élégance et la beauté de son verbe.

pos déchaînaient l'hilarité générale. En face de sa « petite sœur », Honorine, pourtant plus grande, elle la toisa. Honorine était maigrelette, la poitrine plate, les salières creuses, les os saillants. De dos, ses omoplates évoquent les mâchoires d'une griffe dans un fourreau de peau séchée.

— *Ndeysanne* ! lui dit Angèle, puis elle ajouta : Tu n'es que viande desséchée...

Honorine sourit comme si on ne parlait pas d'elle. Cette raillerie déchaîna le fou rire général. Poursuivant la mise en boîte de l'homme, Angèle reprit :

— ... Par la radio, on nous répète qu'il faut libérer les femmes. Mais libérer les femmes de quoi ?... Des travaux champêtres ?... Des enfants que nous mettons au monde ?... Ceux qui disent cela sont des ignorants. Moi je vais vous dire ceux qui doivent être libérés : ce sont les hommes qu'il faut libérer, les libérer de leur mentalité de phallocrates ; les libérer de leur prétention à être des maîtres ; les libérer de leurs habitudes de mendigot ; les libérer de leur subordination aux tubabs. En fin de compte, les libérer d'eux-mêmes. Honorine, ma toute « petite sœur », prends cette aumône pour les enfants. Le fumet de la cuisson présage la qualité du repas à venir. Ces soleils des jours présents présagent des lendemains tristes.

Fusaient des rires moqueurs. Guignane, penaud, se sentit tirer par l'avant-bras : c'était René. Ce dernier ne saisissait pas toutes les paroles, mais les applaudissements des femmes et des jeunes filles le convainquirent qu'Angèle ridiculisait son compère.

Des jours, des semaines, des mois, dans chaque concession bruissait la colère rentrée. « Les dons sont déshonorants », se disait-on dans l'intimité de chacune. Les dires d'Angèle, répétés, grossis par d'autres épouses, écorchèrent la vanité des doyens *Guelwaar-yi*.

— Comment peut-on refuser les dons alimentaires lorsque la sécheresse se prolonge ? Nos enfants, garçons et filles, n'émigrent-ils pas vers les villes ? demanda Mayekor. De tout leur cursus de jeunesse à maintenant, il avait été le plus modéré.

— Nous devons en parler avec nos frères musulmans. Eux aussi sont humiliés par les dons, dit Guelwaar. Et je dois ajouter que je suis très mal placé pour donner des leçons. Chacun de vous connaît la vie que mène ma fille à Dakar...

— Les dons n'ont rien à voir avec ta fille, ni avec la religion, l'interrompit Alfred en repliant son journal vieux de trois jours. Et se sachant écouté : Si nous soulevons les paysans, on nous taxera de révoltés... Mais aussi, sommes-nous en mesure de faire adhérer les paysans ? « Ventre affamé n'a pas d'oreilles »[21].

— Tu n'as pas indiqué une voie, Alfred, lui lança Mayekor, assis à côté de René.

— Dire que je refuse les dons ne flatte que moi. Personne ne m'a entendu.

— Parce que nous, nous ne sommes pas des personnes, lança René avec force et conviction.

— Cette fois, il a bien entendu, dit Guelwaar, riant en le bourrant de tapes dans le dos.

René adorait faire des calembours, il riait avec plaisir. Son visage révélait une gaieté intérieure qui se reflétait dans ses yeux noyés de larmes. Malgré la gravité du sujet, tous s'égayèrent. Alfred attendit qu'ils cessent de pouffer pour s'expliquer.

---

21. Dicton français.

— René, tu as bien entendu, mais, tous ici, vous n'avez rien compris. Tas de nigauds, derrière les dons, il y a le gouvernement. Comment faire pour être entendu par le président de la République ? Le Premier ministre ? Les ministres ? Les députés ? Les donateurs ? Et le peuple ?

Personne ne répondit.

— Nous t'écoutons, lui dit Gor Mag.

— Pour être entendu, nous devons parler à la radio ? A la télévision ?... A l'église ?... A la mosquée ?

— Jamais on ne nous autorisera à parler en ces lieux, opina Mayekor.

— Alors en public, en présence du peuple, nous parlerons.

— Alfred, elle est de toi cette idée ? questionna Gor Mag.

— Non !... Non !...

— Je comprends, maintenant. Nous dirons toutes nos pensées, Alfred rédigera un papier qui sera diffusé à la prochaine distribution des dons, proposa Guelwaar.

— Nous devons nous taire jusqu'à cette date. Et nous choisirons qui de nous va parler en public.

Il y eut un long silence.

C'est ainsi que tout avait commencé.

CINQUIÈME PARTIE

— 8 —

Le climat attristant qui coiffait le *decc* se dissipait lentement au long des heures, laissant se succéder les habitudes quotidiennes de chacun. Si une certaine réserve et circonspection de langage s'observait, la tonalité des voix avait monté d'un ou deux tons. Le faible souffle de vent, torride, faisait voltiger sons et accents en les roulant. On papotait.

Morom-yi avaient délaissé leurs grands boubous et officiaient en camisole de même couleur orange pâle, la croix épinglée dessus. Sophie s'était confiée à tante Véronique : « L'exposition du cercueil, vide, à la vue de tout un chacun, n'est pas souhaitable. » Elle alla suggérer à son frère Aloys :

— Il faut le mettre ailleurs !

— Où ?... demanda Aloys, lui aussi épuisé par le va-et-vient des gens et essayant d'être à l'écoute de tous.

— Tu peux demander ce service à un voisin ?

— A t'entendre parler, on se rend compte que tu ne vis plus ici.

Sophie prit la mouche et se hissa sur ses ergots, prête à griffer son frère.

— Hey !... Tu n'as pas à me donner des leçons ! C'est ma façon de vivre à Dakar qui vous nourrit et vous habille.

Aloys savait que son aînée s'offusquait lorsqu'on

abordait sa manière de vivre. Il se fit doux pour la calmer.

— Tu m'as mal compris ! On chuchote que le corps de père a été volé par des fétichistes. Qu'ils soient cathos ou musulmans, tous les voisins ont la trouille.

— Et si c'était vrai ?

— Prions pour que Barth retrouve le corps. Pour le cercueil, je vais trouver une solution... Quoi ? ... Quoi ?... Regarde ta copine ! Regarde-la !

Hélène portait une « musette » verte transparente sur son pagne, d'une main elle tenait une cigarette, de l'autre une canette de bière, comme dans un salon de mode, et elle semblait indifférente aux regards.

Le brouhaha tomba d'un coup.

— Mais !... Mais !... articulait Bernard. Mais voyez-moi ça ! Abbé, s'insurgeait-il en reboutonnant sa veste.

Pourtant son regard restait collé aux fesses bien arrondies.

L'ecclésiastique avait bien remarqué Hélène à la morgue, assise à côté de Sophie. Son habillement, inconvenant en la circonstance, ne lui avait pas échappé : coupe de robe en légos très fleuri, ornements de volants aux manches, poitrine bien dégagée, une croix en or s'inspirant des bijoux royaux baoulé. Sur sa tête nue, les cheveux étaient tressés. La revoyant en cet instant, l'abbé ressentit cette douleur vive, fine, le pénétrer comme chaque fois qu'un élément étranger venait déranger la quiétude morale de sa bergerie. Il était informé du genre de vie que la fille du défunt menait dans la capitale.

Du coin de l'œil il observait Bernard et il lui lança :

— C'est une jeune femme de notre époque et de notre pays.

Il se dirigea vers la femme.

Hélène, installée sur une chaise, jambes croisées, tirait goulûment sur sa cigarette et buvait par rasades. Dans le coin, deux hommes, occupés par leur échange de paroles, ne se retournèrent pas.

— Il fait chaud, attaqua Abbé Léon qui arrivait à pas de mouton derrière elle.

— *Yôôô!* Oui..., répondit-elle.

— Je sais que tu es une amie de Sophie. Quel est ton patronyme ?

— Sene !... Hélène Sene, répondit-elle en poursuivant d'une voix basse : Sophie et moi formons un tandem à Dakar.

— Et tes parents ?

La réponse tarda à venir. Ses yeux au sol suivaient la progression d'une fourmi. Son regard remonta de la bande d'Etienne et Yandé vers les couronnes de fleurs autour du cercueil. Elle reconnut la sienne.

— Tes parents sont-ils encore en vie, Hélène ? questionna à nouveau l'abbé sans la brusquer.

Tournant la tête vers lui, elle remarqua le bas de la soutane blanche. Elle écrasa sa cigarette par terre et déposa la bouteille de bière avant de se relever.

— Mes parents ?... Ils sont en vie. J'ai quatre sœurs, trois frères, des cousins et des cousines. Après mon BEFEM, mon brevet de fin d'études moyennes, je suis allée à Dakar pour trouver du travail. Trois ! Six mois ! Un an ! Rien. Je suis devenue une prostituée avec une carte professionnelle. Chaque semaine, je me soumets au contrôle médical. J'ai peur du sida...

Elle s'interrompit. Abbé Léon se déplaçait à

droite et à gauche, le front baissé, respirant le léger déodorant de la femme. Il recula d'un pas en fixant sa nuque inclinée. Sur la peau au grain fin, à chaque mouvement de tête d'Hélène, étincelait un minuscule point doré de la grosseur d'une tête d'épingle. Hélène ne savait plus à quand remontait sa dernière confession volontaire. Elle reprit, laissant de longs blancs de silence :

— ... J'envoie de l'argent à ma famille... Aucun des membres de ma famille ne mendie... Mon frère aîné fait des études de médecine... Je dois l'aider... J'ai payé à mon père le voyage de Yamoussoukro pour le sacre de Notre-Dame-de-la-Paix... Mon père a vu le Pape... Il m'a rapporté ceci...

Et tirant la chaîne vers le prêtre pour la lui montrer :

— ... Mon père m'a dit qu'elle est bénie par le Pape. Sophie a payé à son... père le pèlerinage en Terre-Sainte, à Jérusalem.

— Lorsque le Pape est venu à Dakar, es-tu allée à sa rencontre ? demanda Abbé Léon, lorsqu'il comprit qu'elle avait tout dit.

— *Waaawaaw !* s'exclama-t-elle d'une voix d'enfant heureuse. J'ai été à l'accueil à l'aéroport, je me suis rendue à Notre-Dame de Popenguine et j'ai passé la journée au stade de l'Amitié avec les jeunes pour entendre son homélie. Ne juge pas de peur d'être jugé...

— Parole d'Evangile ! Hélène, cette maison est en deuil. Tu dois te vêtir plus convenablement, conclut le prêtre.

Hélène se regarda. Elle découvrit son corps. Une vague de confusion l'envahit.

— J'ai honte, prononça-t-elle, sa pudeur retrouvée.

Elle qui avait vu et reçu des hommes de toutes

les races, de langues différentes, qui s'était fait photographier sous tous les angles, comment pouvait-elle en cet instant éprouver de la gêne ?

— Pourquoi ? questionna encore le prêtre.

— Je me sens nue, répondit-elle.

Elle porta ses mains à son bas-ventre, s'étant rendu compte de la légèreté du pagne, puis elle les croisa sur ses seins visibles à travers l'étoffe de gaze.

— Marche derrière moi, je te conduis.

Fier de ramener la brebis égarée, Abbé Léon ouvrit son livre et l'entraîna dans son sillage. Sophie rejoignit son amie et toutes deux se dirigèrent vers la chambre.

*
* *

Les deux doyens regagnèrent la maison mortuaire au moment où *Morom-yi* servaient le repas. Les hommes d'un côté, les femmes de l'autre, par petits groupes.

Sur un casier de bouteilles de bière vide, renversé et servant de table basse, Gor Mag, Dibocor, Alfred, Guignane partageaient le bol de riz. Chacun avait devant lui sa bouteille de bière transpirante.

— Abbé Léon, viens partager notre plat, l'invita Gor Mag.

Le curé prit place entre Alfred et Guignane. Il savait que l'invite était un signe de considération pour son sacerdoce.

— Abbé, nous avons prévu ton assiette, vint lui dire Anna, tenant la calebasse d'eau qui servait à se laver les mains.

— Merci. Dis à Véronique que je partage avec les doyens.

— Je vais t'apporter une cuillère.

— Je prends ma main. Merci.

A la surface de l'eau, dans le récipient, nageaient des yeux de gras, d'impuretés. L'abbé plongea ses deux mains, les essuya ensuite sur une serviette en coton déjà mouillée. Il récita une prière, se signa et commença à manger.

— Léon, double tes bouchées, nous avons une bonne avance sur toi.

Alfred, la boisson aidant, se relâchait un peu. Il rompit le silence en s'adressant à Dibocor :

— Tu ne trouves pas exagéré de casquer mille balles d'amende pour un petit retard ?

— Chez nous, *Lamane-yi*, pour un retard comme ce soleil d'aujourd'hui, l'amende est de cinq mille francs, plus un mouton ou une chèvre pour un repas supplémentaire.

— *Yooo yo* !...

L'exclamation faillit lui faire avaler de travers le morceau de viande. Il but doucement. Ensuite, de ses gros yeux derrière les verres, il dévisagea Dibocor avec insistance. Instituteur de formation, Alfred traitait le doyen de *Lamane-yi* de rustre.

— Léon, toi qui es un homme de Dieu, ne trouves-tu pas exagéré cette amende, en ces temps de dévaluation et de sécheresse ?

— Léon n'a rien à y voir ! Lorsqu'on est membre de *Guelwaar-yi*, on doit respecter ses engagements, le tança Dibocor en pointant vers lui son index aux phalanges huileuses auxquelles étaient collés des grains de riz rosâtres.

Alfred, malgré ses soixante-sept ans, ravala sa « boulimanie » de paroles. C'est vrai qu'il avait toujours subi l'autocratie de Dibocor.

— Gor Mag ! prononça Guignane sur un ton confidentiel qui sollicitait l'attention des attablés, Gor Mag, la disparition du corps de notre frère est... est une croix.

— Guignane, nous sommes tous anxieux. Et de penser que le cadavre peut servir à des sacrifices ou offrandes à des fétiches, j'en suis malade.

— Trois sortes de types ont recours à des corps humains pour pérenniser leur pouvoir ou faire fructifier leur fortune : le commerçant, le politicien ou le roi-chef.

— Cessez vos gamineries. A l'époque des fusées, des satellites, peut-on croire à ces bêtises ? dit Alfred.

Dibocor revint à la charge. A son avis, l'ancien enseignant était un peu fêlé. Il l'attira par le bras.

— Alfred, la vérité doit toujours être dite. Nous savons tous, même toi, que certaines pratiques ont cours dans notre pays.

— Je trouve que ceux qui s'adonnent à cette pratique sont des *imbéciles.*

— Abbé, je t'ai apporté de la bière, intervint Anna avec un plateau chargé d'une bouteille.

— Je prendrai de l'eau. Merci.

— Je vais te l'apporter, répondit-elle.

D'un geste prompt, Guignane s'empara de la canette déjà décapsulée pour boire. Il la déposa à moitié vide, à côté de deux autres, vidées. Satisfait, après un rot épais : « *Alhamdoullilahi*, aurait dit un bon islamiste. » La raillerie passée, il se signa. Anna le fustigea d'un regard de travers et d'une moue dédaigneuse avant de se retirer.

— Gor Mag, et si on ne retrouve pas le corps ?...

— *O! Roog! O! Eli!* prononça l'Aîné des Anciens.

Il se raidit. Une expression comme un masque

figea ses traits. Les prunelles couleur d'eau savonneuse se posèrent doucement sur chacun d'eux.

Abbé Léon se retira en douce à la rencontre d'Anna, pour rincer sa main droite tachée d'huile.

— *O ! Eli !... O ! Roog !...* J'aurais préféré devoir annoncer à Marie la mort brutale de son mari, plutôt que d'avoir à lui dire que Perr n'aura pas de sépulture.

— Gor Mag, en ta qualité d'aîné de *Guelwaar-yi*, cette tâche est tienne, lui asséna Dibocor sans hésitation dans la voix.

Les plis amers autour de sa bouche, renforcèrent la sévérité du visage en bois d'ébène sec.

Tous se turent.

Les roucoulements des tourterelles dans les feuillages se brisèrent sur le mur de silence des doyens.

Dame Véronique avait fait « aérer » Nogoye Marie pour qu'elle se repose un peu. Une pause !

Retirée dans sa chambre à coucher, Nogoye Marie exposa sur le grand lit à deux personnes, recouvert d'un *dabadaxe*[22], le costume bleu marine, la chemise blanche dont les manches à boutons dorés dépassaient celles de la veste, la cravate en soie gorge de pigeon que Barthélémy avait offerte à son père, le chapelet de l'homme. Fenêtres fermées, seul le rideau rayé de lignes citron et noires faisait écran à la chétive lueur des bougies provenant du salon. La fluide transparence d'un fond de canari conférait à la pièce la pénombre d'un caveau.

A genoux au bord du lit, contemplant le complet étalé, le front appuyé sur ses avant-bras relevés, Nogoye Marie laissait son esprit se vider. Une

22. *Dabadaxe* : patchwork.

perception aiguë des choses atténuait sa peine. Dans un sursaut d'écureuil, elle se retourna vers la porte : Sophie, apportant une soupière, écartait le rideau.

— Mère, je t'apporte à manger.

— Je n'ai pas faim.

— Mère, tu dois prendre quelque chose !... C'est de la soupe à la viande, dit Sophie de sa plus douce voix.

S'appuyant sur ses genoux, Nogoye Marie se leva pour s'enfoncer dans la zone la plus sombre. Sophie voulut déposer le plat sur une grande valise.

— Je te répète que je n'ai pas faim, lui lança la mère. Puis sur un autre registre, elle dit : Depuis la morgue, je n'ai plus vu Barth...

— Il s'occupe lui-même des préparatifs, répondit Sophie en remarquant la forme allongée sur le *dabadaxe*.

— Ce matin, j'ai eu vraiment honte et j'ai été gênée de ce report de la levée du corps, dit Nogoye Marie en se déplaçant... Et sans aucune transition, elle ajouta : Par trois fois ce soleil, j'ai entendu Perr m'appeler...

Sophie, effrayée, se taisait et évitait le regard de sa mère qui vint fixer le lit.

— ... J'ai vraiment entendu sa voix, dit-elle, debout.

A reculons, Sophie sortit.

*
* *

Jeune fille pleine de vie, Marie Ndong avait été membre de la chorale. Elle participait à toutes les manifestations. Le jeune Sobel, lutteur en herbe, avait exercé une puissante attirance sur elle et elle avait tout fait pour qu'il la remarque. Mais après les récoltes, à la veille de l'ouverture des séances de *mbapatt*[23], elle avait appris que Sobel avait épousé une cousine et qu'ils étaient allés habiter la ville : déception d'un amour de jeunesse.

A l'âge nubile, Marie, parfois des journées et des nuits, ne supportait aucun contact, même pas le contact de la soie. Pendant ces périodes courtes, de trois à cinq jours, elle était agressive. Personne n'obtenait rien d'elle. Sa respiration précipitée et le regard brûlant qu'elle posait sur les jeunes gens les faisaient fuir. Dans le village le bruit courait que Marie Ndong avait contracté un mariage avec un djinn qui lui rendait visite la nuit. Les parents s'alarmèrent de ces potins et ils étaient en attente d'un prétendant bien-né.

Les pères de famille Ndong et Thioune se connaissaient depuis belle lurette. Chrétiens tous deux, la paroisse les rapprochait un peu plus.

Si les chefs de clan peuvent ébaucher des projets matrimoniaux, la décision finale appartient aux mères.

La femme Diodio, mère de Pierre Henri Thioune, chargea la vieille Sigua d'étudier le caractère de la future bru et son double invisible. Très versée dans cette science (ce n'est pas moi qui vous l'affirme), la vieille Sigua rendit visite à la famille Ndong. Elle séjourna chez eux pour voir : « Comment Marie Ndong noue-t-elle son pagne ? Main gauche ? Main droite ? Sa démarche ? Attaque-t-elle le sol par le talon ? Les orteils ?... Debout, ferme-t-elle ses pieds ?... Les ouvre-t-elle ? Se gratte-t-elle à tout moment les cheveux ?... Un autre endroit

23. *Mbapatt* : séance de lutte nocturne.

du corps ? Face à une tierce personne qui n'est pas membre de sa famille, comment se tient-elle ?... Traverse-t-elle une longue distance avec une calebasse pleine d'eau sans en renverser de gouttelettes ? Questions domestiques : la saveur des aliments ? Laisse-t-elle traîner des ustensiles de ménage ? Propres ou sales ? »

La scientifique Sigua rendit compte à la mère Diodio des résultats de ses observations.

— Est-il vrai que Marie a déjà contracté des épousailles avec un *homme du monde invisible* ? fut la première question de la mère de Pierre Henri Thioune.

— Non ! Je n'ai vu aucun signe de cette présence. Voici les « pédigrees » : elle sera épouse mouton, mère canard. Son double est bicéphale. Elle a la férocité de la lionne à certains moments, comme elle peut être plus douce qu'une biche. En habitation, une vraie souris : casanière. Le dernier point, c'est qu'en période, elle est chamelle.

— Perr sera à la hauteur, conclut la mère Diodio avec satisfaction.

C'est ainsi que furent unis Marie Ndong et Pierre Henri Thioune, avec la bénédiction des deux familles. Marie, mère de famille, se montra maternelle (canard), casanière (souris). Le reste, à vous de le découvrir.

*
* *

Nogoye Marie fit plusieurs fois le tour du lit, comme dans un rituel sacré. A genoux, elle fixa la forme inerte. Pieusement, elle enleva son châle noir, son chapelet et les posa à côté. Peu à peu, elle se remplit du défunt : une ombre dans son esprit. Elle respirait même son odeur, ses lèvres bruissaient : « *O ! Roog Ndew Seen ! O ! Roog Ngoor Seen !* Perr, tu es là, je sais que tu m'entends. Tu vas m'écouter. J'ai à te parler, à te dire mes vérités. Pendant des années et des années, tu n'as jamais voulu m'écouter... m'entendre. Aujourd'hui, je vais sortir ce que j'ai dans le cœur. Tu es le premier et le seul homme à avoir versé le lait de mes seins. Tu as voulu que je sois ta compagne, celle qui t'a accompagné dans ta vie terrestre. Je t'ai honoré de sept *Banti Maam Yalla*[24]. Quatre n'ont fait qu'une courte visite pour regagner *Ndianiw*. Trois sont vivants. Barth s'est exilé en France. Il est revenu pour ton dernier voyage. Sophie, notre unique fille, se prostitue à Dakar. Aloys, le dernier, est handicapé... Qu'est-ce que je vais devenir, moi ?... »

Elle prêta l'oreille. Une rumeur ténue emplissait la chambre. Nogoye Marie s'exprimait tantôt sur un ton plaintif, tantôt sur un ton vindicatif. Elle reprit, comme un torrent échappé de sa poitrine, les lamentations : « Voilà ce que tu me laisses... Un vide... Tes copains ?... *Guelwaar-yi* ?... En ce jour funeste, ils s'empiffrent à ton repas funéraire. Des goinfres. Tu es mort, frappé comme un chien galeux. Et moi ?... As-tu pensé à moi ? Orgueilleux que tu étais ! J'ai vécu avec toi une trentaine de pluies. Je t'ai admiré, aimé. Tu m'as épuisée, fatiguée. Maintenant, tu me laisses seule... Seule. Ton héritage est trop lourd à porter... »

D'un brusque mouvement des reins, elle sauta sur ses jambes comme un félin prêt à bondir sur l'intruse qui dérangeait ses instants intimes, et le visage sévère, les yeux enflammés :

---

24. *Banti Maam Yalla* : bouts de bois de Dieu.

— Sophie, je n'ai appelé personne à mon secours. Toi, encore moins. Tu souilles ma chambre !

A la vue de la physionomie de sa mère transfigurée, Sophie sursauta et son coude heurta la porte. Elle renversa l'eau contenue dans le pot. Paniquée, elle détala.

Comme bon nombre de femmes de sa génération, Nogoye Marie n'a jamais eu de vie à elle. Vivre sa vie ! Décider de son quotidien ! Même seule, isolée dans l'opacité de la nuit, elle voyait le regard des autres la fixer, lui imprimer dans sa chair, son esprit, ce qu'elle devait ou non faire, dire ou ne pas dire. Et lorsqu'elle apprit la façon de vivre de sa fille à Dakar, elle n'eut d'opinion que celle que les autres en avaient. Elle entendait leurs quolibets, leurs sarcasmes. Lors de chacune des réunions de *Morom-yi*, elle croyait être l'objet de ricanements. Elle monologuait : « Nogoye Marie, tu as de beaux boubous, de jolis pagnes, de belles camisoles. Mais nous savons comment ta fille les gagne. »

Un jour, elle creusa un grand trou et y incinéra tous les vêtements que Sophie lui avait donnés.

Elle pleura chaudement, seule. Elle n'aurait pas à passer à Sophie le tison de la dignité reçu de sa mère Diodio, et à lui répéter : « Ma fille, retiens ce soleil d'aujourd'hui. Ce jour ne se vit qu'une fois. Tu m'as honorée. » Sophie est devenue un champ communautaire, chaque singe peut le labourer comme il veut.

Quelle ignominie ! Selon elle, Sophie a déshonoré sa famille et toute la lignée.

*

* *

Véronique vint à la rencontre de Sophie qui descendait les marches du perron avec son pot d'eau, les yeux humides.

— Se repose-t-elle ? demanda Dame Véronique.

— Non !... Elle parle avec mon père.

— *O! Roog!* Doux Jésus ! C'est un mauvais signe.

— Tante Véronique, est-ce vrai qu'on ne retrouvera plus le corps de mon père ?

— *O! Roog!* Ma fille, n'écoute pas les gens. Viens, nous allons parler à Abbé Léon.

Elles se dirigèrent vers le prêtre.

SIXIÈME PARTIE

— 9 —

L'adjudant-chef Gora, commandant de la Brigade de gendarmerie régionale, visita en vain une vingtaine de villages. Il consulta les registres d'état-civil mis par les autorités à la disposition des chefs de villages. Aucun nom ni patronyme ne coïncidait avec celui qu'il cherchait. Faisant mine de ne rien savoir, un paysan futé fit comprendre que « vers Ker Baye Aly, on pourrait peut-être le renseigner ».

Très éloigné des rails de chemin de fer et d'une route bitumée, Ker Baye Aly se nichait dans une plaine sablonneuse à l'intérieur des terres. C'était le carrefour d'une quinzaine de sentiers en provenance du pays profond et le pont de jonction et de passage obligé. Dans les temps anciens, sa population quintuplait durant la traite[25] de jour comme de nuit, avec la licence du profit : traitants, caravaniers d'ânes, de chevaux, charretiers. De nos jours, Ker Baye Aly n'est qu'un lointain souvenir pour des personnes d'un certain âge. Au centre du village se dressait la mosquée avec ses deux immenses minarets à plus de trois étages. L'édifice religieux avait été érigé par un fils du terroir qui avait fait fortune dans la diamanterie en Afrique australe.

---

25. Traite : la période de commercialisation des produits agricoles, après les récoltes.

A une bonne distance, les minarets captèrent l'attention de Barthélémy. Il était fasciné par leurs lignes sobres, droites et par les arabesques le long des carrés et aussi par la grande coupole verdie, le vert cuivre. Mais il ne déchiffrait pas les écrits en arabe. Plus la jeep s'approchait, plus la base de la mosquée s'élargissait. Son émerveillement ne dura que le temps que mit le véhicule pour se garer devant une grande concession où flottaient le drapeau national et un autre, avec l'emblème du parti au pouvoir.

— Attendez-moi un instant, lui dit Gora en empruntant une venelle entre deux maisons.

Barthélémy acquiesça de la tête, son intérêt immédiat fixé sur les gamins jouant au football. Lui-même était un inconditionnel de ce sport. A Paris, il préférait assister à un match plutôt que de le suivre à la télévision. Captivé par le jeu, il repéra un garçon maigre, leste comme un cabri, capable de poussées de vitesse foudroyantes. La balle de chiffon obéissait à toutes ses volontés. Il la stoppait, la retournait à droite, à gauche, la soulevait. D'un coup de bassin, il feinta son vis-à-vis pour réussir un direct : le but. Une mousse poussiéreuse gainait ses jambes. Barthélémy applaudit. Il alluma une cigarette. Spectateur initié, il oublia ce pourquoi il devait être là.

*
* *

Baye Aly, sexagénaire avec des lunes en plus, bon vivant, installé dans son hamac, devisait avec deux subordonnés assis à même le sol : Gora, en sa qualité d'agent de l'administration, eut droit à un banc. Après les urbanités d'usage, il aborda le sujet d'une façon indirecte.

— A propos, Aîné, quand est-il mort, Meyssa Ciss ?

— *Allahou Akbar* ! Meyssa a répondu à l'appel de notre Maître à tous il y a trois à quatre soleils, avec celui-ci de jour.

— Il est inhumé dans votre cimetière ?

Baye Aly, sur ses gardes, cessa de jouer avec ses orteils. Du coin de l'œil, il épia le gendarme avec méfiance en pensant : « Lorsque tu parles, tu sais ce que tu dis. Mais tu ne sais pas comment l'autre va l'entendre. » D'autant plus que Gora n'avait pas succombé à ses largesses : moutons, chèvres, poules, pintades, œufs. Il se fit répéter la question.

— Veux-tu voir mon registre d'état-civil ?

— Non ! Si tu me confirmes que Meyssa Ciss est enterré ici, cela me suffit.

— Samba, toi qui sais tout, explique à Gora.

Samba, vrai courtisan de village, homme de toutes les besognes, leva un genou avant de parler, le regard voltigeur.

— C'est Yamar Ciss et moi qui avons été prendre le corps de Meyssa Ciss à la morgue. C'est Ismaïla, le disciple de l'imam, qui a procédé à la toilette et à la prière des morts.

— Pourquoi l'imam n'a-t-il pas présidé la prière des morts ?

— Il était chez sa troisième épouse. Le village voisin...

L'adjudant-chef Gora, citadin de naissance, esprit cartésien de formation, avait apprivoisé les finesses, les méandres et chausse-trapes langagières des gens de cette campagne. Les réponses tombent en aval ou en amont des questions, pour une meilleure esquive en cas de confrontation.

— Samba, à la morgue, on vous a remis un papier ?... Où est ce papier ?...

Samba fut effrayé en entendant le mot de « papier ». Il rectifia sa position et se pencha à droite. Ses yeux de poltron rencontrèrent pour la seconde fois ceux du gendarme. Il se gratta l'occiput et se cacha de son bras replié pour consulter Baye Aly, qui d'un cillement l'autorisa à parler.

— Le papier est avec Pââ[26] Mor Ciss, répondit-il doucement.

— Baye Aly, je te demande de m'aider à trouver le chemin qui mène à Cissen[27], dit Gora comme s'il était novice.

Sollicité de la sorte devant ses subalternes, Baye Aly, chef de village, se voyait seulement objet de vénération. Après avoir par trois fois secoué son grand boubou, épaule après épaule, les mains croisées au dos, il ouvrit la marche. A distance, il suggéra :

— Vous les citadins et *sefs*, vous avez oublié vos us et coutumes. Tu rendras d'abord visite aux deux veuves du défunt. Et n'oublie pas l'obole que tu dois leur laisser.

— Tu es mon aîné, tes conseils sont toujours sages, lui répondit Gora pour flatter son ego.

A sa troisième cigarette, Barthélémy aperçut le gendarme qui suivait un homme de haute stature, vêtu en seigneur.

*

* *

---

26. Diminutif de Papa.
27. Cissen : concession, demeure des Ciss.

De hautes palissades protégeaient Cissen des regards indiscrets. A l'intérieur de la concession, chaque *doom baye*[28] s'était aménagé son espace familial délimité par des clôtures, comme des alvéoles. Tous les différends entre frères, demi-frères, conjoints, mères, enfants, héritages se résolvaient à l'intérieur. Le sol de la maison était couvert d'un sable fin. Toutes les quinzaines, les jeunes filles passaient ensemble le sable au tamis. Pieds nus, marcher dessus était un plaisir...

— *Assala-maléikum*, prononça Baye Aly, à l'issue d'un labyrinthe.

— *Aley kum salam*, lui répondit une voix de femme.

— Femmes, c'est *Atssidan*[29] Gora de passage, qui vient vous présenter ses condoléances. Il faut l'excuser pour ce retard, dit Baye Aly en s'asseyant près de la porte de l'enclos.

Un van en feuilles de rônier était exhibé devant, avec des piécettes de monnaie laissées par les visiteurs.

— L'essentiel est l'intention ; Allah le récompensera d'être venu ainsi que toi, Baye Aly.

Aminata, la première épouse, plus âgée que la seconde, rendait ainsi la politesse.

Les deux veuves s'habillaient de façon identique, tissu cendré à pois blancs, la tête enveloppée de la même étoffe. A même la natte d'un jaune frais, elles s'abandonnaient à leur pieux recueillement, le chapelet de perles blanches à la main.

— Je vous présente mes condoléances. Qu'Allah l'accueille au paradis, qu'Il vous assiste ici-bas, prononça Gora qui avait rapidement remarqué que

---

28. *Doom baye* : frère consanguin.
29. Adjudant.

la deuxième épouse, Oumy, s'adonnait au *xessal*[30]. Le visage et le cou avaient la couleur de la citrouille trop mûre. La jointure des phalanges et les replis de peau demeuraient noirs.

— Amine !... Amine !..., répétaient-elles en chœur, le regard humble.

L'adjudant Gora déposa sur le van un billet de cinq cents francs CFA.

— Nous allons rendre visite au maître de céans, dit Baye Aly en se relevant.

Les remerciements continus que récitaient les deux veuves comme une leçon bien apprise raccompagnèrent les deux hommes.

Dans l'enceinte de la cour privée du chef de clan, des grappes de garçons, de filles, des hommes et des femmes s'activaient au décorticage de l'arachide pour les prochaines semailles. Un homme à la voix forte vocalisait l'élégie de « *Jinax ô ! Mbâây*e ». La cadence des « Kak ! Kak ! Kak ! » de la coque cassée rythmait le travail.

— Nous venons participer au travail ! s'écria Baye Aly.

— Ah ! Baye, nous ne refusons pas l'aide, surtout que nos doigts commencent à s'alourdir..., répondit Mor Ciss, devenu patriarche en remplacement du mort, son aîné. Apporte la chaise tubab à Gora... Baye Aly, mets-toi là..., acheva-t-il en lui faisant une place sur sa natte.

Un adolescent apporta à Gora une chaise de jardin pliante des années 1930. La couleur bleue était écaillée. Gora s'installa en hauteur.

— Gora, nous nous sommes acquittés de nos impôts, dit Ndoffène, sur un ton de boutade.

— Je ne suis pas venu pour l'impôt. J'ai été pré-

---

30. *Xessal* : éclaircissement de la peau.

senter mes condoléances aux veuves de votre frère aîné Meyssa... A vous aussi, Mor Ciss, Ndoffène Ciss, Yamar Ciss, je vous présente mes condoléances.

— Nous partageons les mêmes peines du cœur... Toi aussi, *Sef* Chef, plaisanta Ndoffène.

— *Rek*, dit Mor Ciss pour arrondir.

Gora prit une poignée de graines de l'espèce médiocre, inapte pour la semence, et y goûta.

— *Sef*, tu t'y connais en culture ?

— Jeune, j'ai aidé mes parents pendant les vacances scolaires. A propos, Mor, tu dois détenir un « bon de sortie » pour le corps de ton aîné Meyssa Ciss, que Yamar, ici présent, t'a remis.

Mor Ciss leva son visage osseux vers Gora. Ses paupières frippées se levèrent sur le gendarme. Les poils blancs, drus enserrant sa bouche, descendaient à mi-gorge. Il était vêtu d'un coussable en bandes de cotonnade violette et jaune, décoloré, ouvert de chaque côté, qui laissait voir ses flancs saillants. Il avait un corps de bois sec.

— Pour ça, *Sef*, tu ne devrais pas te déplacer. Baye Aly te l'aurait apporté en ville, dit-il en égratignant le chef du village.

— Puisque je suis là pour les condoléances, j'en profite. Je veux seulement voir quelque chose.

— Yamar, apporte-moi le *maxtume*[31] où je range les papiers de la famille.

Yamar, le troisième des frères, trapu comme un taureau des marécages, se retira.

— Mor, j'ai soif...

— *Lahillaha Illaha* !... J'ai manqué à toutes les convenances. Gora excuse-moi !... Hady ! Hady ! Oh ! Oh !

31. *Maxtume* : porte-feuille de forme carrée en peau.

— *Naam* Ciss, répondit une voix de femme.

— Apporte à boire au *Sef*. Baye Aly, c'est vraiment une omission de ma part.

— Mor, tu n'as pas à t'excuser.

Une forte femme bien charpentée exécuta devant lui une génuflexion en lui présentant une écuelle bien récurée. Après avoir bu, Gora la récompensa d'un « *jerejef*, merci ! » A son tour, Baye Aly se désaltéra, rendit le récipient et remercia. Hady se retira.

Yamar réapparut avec le *maxtume*. Mor manipula avec soin les documents en les dépliant feuille après feuille, quelques-unes jaunies, manuscrites en caractères arabes. Le papier qu'il présenta à Gora était d'un blanc cassé.

— Je crois que c'est bien celui-là.

Tous considérèrent avec appréhension Gora qui tenait le document.

— Mor, as-tu lu ce qui est écrit dessus ?

— Je ne sais pas lire le *nassaran*[32]. Mais j'en suis sûr, c'est le papier que Yamar m'a remis.

— C'est vrai, c'est le papier de l'hôpital. Vous avez donc enterré Meyssa Ciss dans votre cimetière ?

— Oui, répondit Mor laconiquement.

— Le corps qui est dans cette tombe n'est pas celui de Meyssa Ciss, dit Gora.

— *Soubbanalahi* ! s'exclama Ndoffène.

— Personne ne s'est présenté à moi pour contester ou réclamer « son mort », opina Baye Aly en sa qualité de chargé de l'état-civil. Et au milieu d'un silence général : Le mort qui est dans cette tombe, c'est qui ?

— Pierre Henri Thioune, plus connu sous son surnom de Guelwaar.

---

32. *Nassaran* : mot d'origine arabe pour homme blanc.

— C'est un *yefer*[33], je le connais.

— Non, un *kérétiane*[34], rectifia Gora.

Tous étaient pétrifiés. Une poule caquetait. Dans les bras de sa mère qui s'éloignait, un bébé pleurait.

— *A onsu bilahi minal seytane rajim* ! lança Ndoffène, le visage anguleux, les mâchoires serrées.

La suffisance princière dont il faisait montre devant ses concitoyens le rendait haïssable. Le buste dressé sur ses deux genoux, il pointa son index vers Gora : « Si tu n'avais pas été gendarme, je te cassais la gueule ici même... »

D'un revers de la main, il frappa le coq impertinent qui picorait les précieuses graines. Les ailes largement déployées, la volaille s'enfuit en poussant des cris.

— Gora, quelles sont tes intentions ? questionna Ndoffène avec hargne.

— Ouvrir la tombe, lui répondit froidement Gora.

— Ouvrir ?... Quoi ?... Gora, nous les Ciss, nous ne faisons pas de politique.

Le calme de Gora excédait les frères Ciss. Il s'adressa à Yamar :

— Yamar, pendant la toilette mortuaire, as-tu regardé la figure de Meyssa Ciss ?

Yamar ne répondit pas.

— Ey ! Assez ! Assez ! Gora, Baye Aly, foutez le camp ! hurla Mor Ciss, debout. Son bras maigre comme une liane indiquait la sortie.

Ndoffène sortit son long couteau de son fourreau, menaçant.

---

33. *Yefer* : mécréant, infidèle.
34. *Kérétiane* : chrétien.

— Calmez-vous ! Mor, retiens Ndoffène ! Un accident est vite arrivé, répétait Baye Aly qui regrettait d'avoir accompagné le gendarme.

— Dehors ! Dehors, bande de voyous ! Jetez-les aux ordures, ces deux-là !

Les gens, garçons et filles, hommes et femmes, heureux de cette distraction se mirent à les conspuer, à les insulter. A pas pressés, Gora et Baye Aly sortirent.

— Je dois me rendre chez l'imam, dit Gora.

— Il n'est pas encore revenu de ses champs. Viens l'attendre chez moi.

*

* *

Barthélémy s'impatientait. Plusieurs fois il avait consulté son bracelet-montre, un vrai Cartier. Il avait épuisé ses mouchoirs blancs en papier. Il demanda au gendarme-chauffeur :

— Votre chef va-t-il revenir ?

Le conducteur, qui devait avoir son âge, répondit :

— Il va revenir.

— Quand ?

Le gendarme descendit du véhicule, s'étira langoureusement et lui dit :

— Je vais boire... si le chef me demande...

Barthélémy bouillonnait de rage. Il n'avait rien avalé de la journée. Il pensa à rentrer à pied et à aller déposer une plainte : « Vol de cadavre et assassinat ». Il avait été piégé par ce gendarme de mes deux... Les jeunes footballeurs avaient réintégré leur domicile. Une colonne de femmes, portant de lourds fardeaux de bois de chauffe, traversa la place vide. Se retournant, il vit l'adjudant-chef avec le même bonhomme et s'élança vers eux.

— Monsieur le gendarme ! Monsieur le gendarme, quelle est cette foutaise ? Vous me faites poireauter toute la journée, et maintenant vous me plantez là comme un réverbère.

— Voyons, du sang froid ! Vous devez comprendre notre mentalité de Sénégalais, lui dit Gora qui s'était approché.

— Comprendre quoi ?... Que dalle ! Sénégalais ? Regardez ! Regardez !

Il sortit un passeport de son porte-document.

— ... Regardez ! Je suis citoyen français, membre de la Communauté européenne.

Gora lui prit des mains le passeport. Après lecture, désappointé, il le lui rendit en disant :

— Monsieur est français. Etranger au Sénégal. Allez voir votre ambassadeur pour lui dire que vous avez perdu, au Sénégal, le cadavre de votre père.

Cela dit, Gora alla jusqu'à la jeep. Ne voyant pas le conducteur, il retira la clé et rejoignit Baye Aly.

— Gora, je ne comprendrai jamais pourquoi, vous les *sefs*, devant nous ruraux, vous ne parlez que le *nassaran* ?

— Baye Aly, celui-ci est un Français.

Après l'avoir examiné de haut en bas, Baye Aly laissa tomber :

— *Ndeyssane* ! Un tubab noir ! Encore une copie.

Barthélémy avait la bouche tordue de colère. Il vit le chauffeur qui le détaillait comme s'il était d'une espèce nouvelle.

*
* *

Le soleil couchant, emmitoufflé d'une nappe de nuages rosâtres, badinait derrière la forêt de baobabs. En moins d'une heure la nuit engloutit la terre.

C'est un peu avant la prière de *Guewe* que la jeep partit de Ker Baye Aly. Durant le trajet de retour, personne ne parla. Lorsqu'ils arrivèrent, les quelques lampadaires du centre-ville étaient allumés. Les piétons et les charrettes n'étaient que des silhouettes ambulantes.

— Nous sommes arrivés.

— Mais vous ne me déposez pas à la maison ? demanda Barthélémy.

— Nous avons consommé l'essence du contribuable sénégalais. Pour aller chez feu votre père, les charrettes sont de l'autre côté de la place. Tenez... voici le nom du village : Ker Baye Aly. Et dites à vos parents d'y être demain matin. Ciao !

Ruminant sa déception et sa rancœur, Barthélémy vit le véhicule s'enfoncer dans la nuit.

SEPTIÈME PARTIE

— 10 —

L'immense caïlcédrat, touffu, étalait son ombre massive, épaississant l'obscurité dès que les derniers rayons du soleil auraient englouti avec voracité la concession mortuaire. Les paroles retenues, comme une chape étouffante, rendaient le climat d'attente sinistre. Les ténèbres suscitaient dans les esprits de ceux venus pour le *jaale*, de ceux qui allaient rester pour le *decc*, d'angoissantes interrogations. L'Afrique des Ancêtres était encore vivante. Même plus vivante que jamais. Seuls les regards qui se croisaient pouvaient se parler... La toile nocturne avait estompé les détails.

Gor Mag et Dibocor sortirent. Cela souleva un grand espoir, selon l'antique certitude que les gérontes — par leur longue existence et expérience — ont une solution pour toute situation, et qu'ils ne reviendront pas bredouilles. Cette pensée consolatrice détendit un peu l'atmosphère.

Au bout de trois heures, ils revinrent. Sur leur visage, masque de glaise brûlée, se lisait la vaine recherche.

Dame Véronique, femme de ressources, rassembla *Morom-yi*. Elles entonnèrent des cantiques, assises en rond dans la cour. Etienne, Yandé et la bande s'y mêlèrent. Crescendo s'élevèrent les chants liturgiques, tantôt en latin, tantôt en français et en langues africaines. Abbé Léon déposa sur le sol une bonne douzaine de bougies. L'éclat des flammes accentuait les couleurs vives des vêtements, faisant disparaître les détails.

Aucun n'entendit les tintements des clochettes de la charrette qui ramenait Barthélémy. Il entra en enfilant sa veste, au seuil de l'entrée principale. Aloys courut vers lui.

— Alors ?...

— J'ai retrouvé le corps, lui répondit Barthélémy en se reboutonnant.

— Alléluia !... s'écria quelqu'un.

Les doyens l'entourèrent.

— Où est le corps ? demanda Gor Mag.

— Il est enseveli dans un cimetière musulman.

— *Comment ? Dans un cimetière musulman ? As-tu ouvert la tombe ?* demanda Alfred en français.

— Non !

— C'est dans quel village ?

— J'ai le nom... Ker Baye Aly, répondit Barthélémy après s'être éclairé avec son briquet.

— Je connais le village. Leur imam était un nommé Birame, s'il est encore en vie, dit Gor Mag. Et s'adressant à Abbé Léon : Tu dois révéler la vérité à Marie.

— Gor Mag, Doyen Dibocor, c'est à vous les Anciens que revient cette tâche.

— Léon, ce que tu dis est vrai ! Nous les Anciens te chargeons de parler à notre place et en notre présence. Avec un abbé, la parole est délicate, elle ne blesse pas l'oreille.

Abbé Léon ne pouvait pas se dérober. Depuis qu'il officiait dans cette paroisse composée d'une quinzaine de villages, il respectait les Anciens sans tenter de détruire les valeurs morales qui n'étaient pas en contradiction avec son sacerdoce.

*
* *

Dans le salon, le prêtre s'acquittait de sa mission. Il n'accablait personne et ne cherchait pas les responsables. Il s'étendit plutôt sur la retrouvaille du corps qui est « une manifestation divine ». Quant aux deux doyens, Gor Mag et Dibocor, chacun se convainquit qu'il n'aurait pas trouvé des mots ni des phrases plus justes et plus limpides. Dans les intervalles de silence, le chœur des femmes et des gamins au-dehors ressemblait plus à un psaume qu'à un chant funèbre.

Dame Véronique, assise près de Nogoye Marie, retenait ses larmes de joie.

— Abbé Léon, débuta Nogoye Marie d'une voix basse, j'ai bien compris. Je n'ai rien contre les musulmans. Jeunes, avec Perr nous cohabitions. Nos parents et grands-parents se fréquentaient. Je me souviens très bien de Birame. Peut-être qu'il m'a oubliée. Notre différence de religion n'est pas antinomique...

Elle se moucha, comme pour laisser les choristes envahir le salon.

— ... Abbé, comment un chrétien peut-il dormir dans la paix de notre Seigneur, s'il n'est pas muni des sacrements de l'Eglise ? Comment pourrais-je à la Toussaint ou le dimanche, me recueillir sur la tombe de mon mari ?... Prier sur les tombes de mes parents ? A ma mort, je veux être à côté de mon mari dans un cimetière catholique...

Nogoye Marie imposait le silence. Elle redressa son menton, une tache de lumière dansante effleurait son profil. Dame nature, ayant achevé son circuit de procréation, l'introduisait dans le cercle restreint des personnes d'âge.

— ... Oncle Dibocor, Gor Mag, ne vous avisez pas de vouloir m'empêcher d'aller demain avec vous chercher le corps de Perr...

Les deux vieillards se dévisagèrent, stupéfaits. Ils n'avaient pas encore décidé comment ils allaient s'organiser.

— ... Abbé Léon, dit-elle au prélat, Abbé, notre Seigneur Jésus n'a jamais attendu les fidèles à la porte de l'Eglise. Demain, toi aussi tu viens avec nous. L'Eglise est là où tu es !

Abbé Léon réprouvait la phrase : « Tu es l'Eglise. » Si sa présence était évangélique pour les paroissiens, il exécrait la flatterie et l'amalgame. Par soumission totale à son ministère, il resta muet.

— ... Oncle Dibocor, Gor Mag, je vous libère. J'ai besoin de parler à Véronique.

L'un derrière l'autre, ils sortirent. Par ses propos directs, Nogoye Marie leur avait rappelé le défunt. Restée seule avec Véronique, elle dit d'une voix d'enfant :

— J'ai faim... Depuis hier, je n'ai rien mangé.

— Il y a le couscous...

— Préparé par toi ?

— Non, préparé par Angèle. Sa main est très savoureuse.

— Je suis sûre que toi aussi, tu as jeûné. Apportes-en pour nous deux. Il faut donner à manger à Barth.

Dame Véronique sauta d'un élan guilleret, puis se souvenant du deuil, elle réfréna son ardeur retrouvée.

Dans la cour, le psaume montait. Les lumières des bougies piquaient le pagne de la nuit, elles scintillaient tremblotantes.

HUITIÈME PARTIE

— 11 —

Après quatre heures de marche, le cortège des catholiques — hommes, femmes, adolescents — traversa des villages dont quelques-uns ne regroupaient qu'une huitaine de cases encore endormies. Les grincements continus des essieux des charrettes réveillaient les cabots. Leurs aboiements les accompagnaient, pour s'affaiblir dans le silence d'une nuit finissante. Quelques étoiles têtues, aux éclats altérés, traînaient dans un ciel trouble.

Gor Mag et Dibocor marchaient devant. Leurs pas se rythmaient sur une cadence égale. La pointe de leur longue canne se plantait profondément dans un sol à la surface poudreuse. Ils ne se parlaient pas, même pas en pensée. De dos, les deux vieux semblaient servir de bouclier contre un ennemi invisible, plutôt que de guides. Ils suivaient un sentier serpentant au milieu des herbes mortes. Suivait la charrette-corbillard, transportant la bière avec les couronnes de fleurs artificielles. Nogoye Marie, Sophie, Dame Véronique dans une deuxième charrette, puis cinq autres attelages chargés de *Morom-yi* et des autres femmes. Tous les hommes étaient à pied, Etienne, Yandé et les jeunes gens en dernier. Abbé Léon s'était opposé à la présence de cette fausse croix en tête du cortège.

L'appel à la prière du jour naissait, le *Fadjar* solitaire, croissant, emplissait l'espace aérien. La voix humaine s'éleva, déferlant à la rencontre du soleil levant. A l'horizon, du côté de l'est, une lueur encore incertaine, de seconde en seconde, se teintait de bleu clair. Des lambeaux de ténèbres surgissait une longue rangée de rôniers squelettiques, épousant le lit d'un ancien ruisseau. Quelques palmiers doun aux tiges en forme de W et de V entrecroisés, coquets, s'agrippaient solidement à la terre argileuse, desséchée en surface. Ce terrain assoiffé, fissuré, exsudait une forte senteur de bois et de brindilles, mêlée à la senteur du sol.

Connaissant la région sans aucune hésitation, Gor Mag et Dibocor s'orientèrent vers un autre chemin qui partait en oblique, abandonnant le vieux sentier défoncé. Devant eux la savane offrait son immensité avec ses poches d'arbres tantôt sombres, tantôt plus soutenus, presque noirâtres. L'horizon vaste, démesuré, s'étendait, le jaune — dit jaune sénégalais — y dominait.

Après la longue ravine de terre, une agglomération de baobabs aux branches robustes et tourmentées vint à leur rencontre. L'ensemble évoquait plus un monde pachydermique, figé dans un durable assoupissement.

Du nord, le *mboye*[35] soufflait, vent paresseux, pesant, râpeux, truffé de fins grains de sable de dune, noyant la zone d'un boubou de brume. A travers cet espace gazeux comme dans un tableau de peintre impressionniste se devinaient au loin les deux minarets de la mosquée de Ker Baye Aly.

— Voici le cimetière de Ker Baye Aly, déclara Gor Mag triomphant, avec un geste large.

Des calotropis ou pommes de Sodome, des épineux, clôturaient le rectangle. Des touffes de fils

35. *Mboye* (mot wolof) : Harmattan ashanti.

de soie, poussés par le vent au ras du sol, s'agglutinaient sous les arbrisseaux. Des *alluba*[36] enfoncées dans la terre, des canaris de toutes dimensions, signalaient les tombes aux épitaphes en caractères arabes.

— Guignane, passe-moi la pelle. On rentre et on prend la dépouille, dit Alfred.

— Comment peux-tu reconnaître la tombe ? lui demanda Dibocor.

— Une tombe fraîche est facile à reconnaître.

Tous regardèrent les boursouflures de terre qui, malgré les différences de tailles, étaient identiques. L'herbe séchée mangeait les intervalles.

— Une tombe fraîche... répéta Dibocor par dérision, en secouant son chapeau. Et hargneux, il poursuivit : Comment reconnaîtras-tu là une tombe fraîche ?... Peut-être maintenant sais-tu lire l'arabe ?

— Alfred, tu vas nous attendre. Personne ne doit entrer avant notre retour. Dibocor, Abbé, Barth et Aloys, nous allons rendre visite à Baye Aly et à Birame.

La délégation longea le cimetière en direction du village.

Descendues des charrettes, les femmes se hâtèrent vers le tamarinier. L'arbre géant coiffait le sol de sa bonne frondaison verte. Nogoye Marie, comme aspirée, s'approcha de la haie. Des yeux, elle inspectait, fouillant les tombes du regard, pour repérer celle de son mari. Dame Véronique et Sophie la suivaient de très près.

— *Naam !... Naam !...* Perr !

36. *Alluba* : planchettes servant à l'enseignement du Coran.

Dame Véronique la retint par l'avant-bras lorsqu'elle voulut écarter les épineux avec ses mains pour accéder à l'intérieur.

— Non !... Non !..., lui répéta Dame Véronique.

— Je l'ai encore entendu m'appeler !

— Ne lui réponds pas. Il est à *Ndianiw*.

Elle ravaudait un *dabadaxe* sous la véranda. Etienne et deux de ses acolytes s'acharnaient à construire une auto avec des boîtes vides en alu. Etienne est très adroit de ses mains. Dans le lointain, le battement de tam-tam leur parvenait. Nogoye, comme les épouses de *Guelwaar-yi*, était au courant. L'appréhension lui serrait le cœur. A l'arrivée de Gor Mag, les battements de son cœur redoublèrent dans sa poitrine. L'Aîné des Anciens n'attendit pas longtemps.

— Gor Mag, pourquoi tu ne m'as pas fait réveiller ? demanda Pierre Henri Thioune, rajustant son chapeau.

— Je viens d'arriver.

— Perr, c'est vrai que tu vas parler à ce meeting ? demanda Nogoye Marie, des monceaux d'étoffes variées autour d'elle.

— Marie, savoir cela t'avancerait à quoi ? lui répondit le mari.

— Sais-tu que ta fille se prostitue pour te nourrir ? lança-t-elle avec colère.

Gor Mag et les enfants se taisaient.

— Sophie travaille à Dakar, Barth est en France. Nos enfants travaillent ! martela Pierre Henri Thioune.

Elle reposa sa couture dans le panier et lui fit face.

— Perr, je préfère me nourrir de charité que de me nourrir de ce que Sophie t'envoie.

— A *wooowooo* ! Malheur au chef de famille qui

attend la pitance des restes d'autrui pour ses enfants.

Il la prit par l'épaule, lui montra sa main calleuse en l'agitant.

— Regarde ma main. J'ai toujours travaillé. Moi, Perr Henri Thioune, Guelwaar, jamais je n'attendrai ma nourriture d'un autre homme, ou d'un autre peuple. Sophie est ma fille et je l'aime.

— Perr Henri Thioune, déleste-toi de ta carapace d'orgueil pour vivre comme tes semblables.

— A *woo woo* ! Marie, ce n'est pas le pantalon qui fait l'homme ! Je suis sûr de te retrouver dans cette maison.

Cela dit, Guelwaar s'apprêta à partir.

— Perr, tu préfères que ta fille se prostitue pour te nourrir, pour t'envoyer en pèlerinage à Jérusalem et à Rome ? Où est ta dignité ? C'est vous les hommes qui pourrissez le pays. Lorsqu'on est femme, on est mendiante, ou prostituée, dit-elle pour se venger.

Guelwaar reçut la tirade à la nuque comme un coup de massue. Il s'arrêta puis revint sur ses pas. Nogoye Marie, d'instinct malgré son âge, prit une attitude de protection en se servant de son avant-bras.

— Marie, ce que tu viens de dire est blessant. Mais c'est la vérité vraie. J'ai autant de mal que toi. Ceux qui nous gouvernent sont les seuls fautifs. Regarde Etienne, Yandé et leurs copains. Toi et moi, nous sommes vieux, quel avenir nous leur laissons ? lui demanda Guelwaar sans élever la voix.

Nogoye Marie demeura debout bien après leur départ avec les enfants. Elle était à court de pensées.

— Perr !

— Ne lui réponds plus, Marie.
— *O! Roog Ndew Seen! O! Roog Ngoor Seen!* Qu'est-ce que je vais devenir ?
— Mère, je suis là. Tu viendras vivre avec moi.
Comme piquée au vif, Marie cessa ses lamentations.
— Vivre avec toi ?... As-tu pensé à moi ?... Moi, ta mère ? A ma fierté devant mes semblables ? Tu as fait de moi la mère de la putaine.
— Mère, nous avons déjà parlé de ça.
— Oh, doux Jésus Marie ! Pourquoi je ne suis pas morte avant lui ?
— Marie, c'est un péché de dire cela. Nous, *Morom-yi,* nous sommes là aussi...
Elle reprit ses jérémiades, les bras croisés sur son châle, puis elle alla s'asseoir près du cercueil. Etienne planta la croix à côté.

NEUVIÈME PARTIE

— 12 —

Lors de la même aurore bleutée qui vit les chrétiens marcher vers Ker Baye Aly, dès le premier appel du muezzin, les épouses ayant partagé la couche conjugale avec leurs époux se hâtèrent de leur préparer le bain. Lavés, purifiés, les hommes prirent le chemin de la Maison d'Allah. La prière de *Fadjar* était d'habitude suivie par une dizaine de vieillards. Ils furent étonnés de constater la présence d'une centaine d'inconnus et des deux frères Ciss : Ndoffène et Yamar.

Tous s'alignèrent derrière l'imam Birame lorsqu'Ismaïla attaqua le *lixam*[37]. Malgré leur dévotion, remontait à leur mémoire la houleuse et brûlante palabre d'hier, à la nuit tombée.

*
* *

Hier à la nuit tombée, après la prière de *Guewe*, Baye Aly en sa qualité de chef du village, avait convié tous les *kilife*[38] dans sa demeure pour les mettre au courant de la visite impromptue du *Sef* gendarme. Quand ils apprirent qu'un *yefer* décédé partageait avec leurs morts musulmans le même

37. *Lixam* : récitation rituelle précédant la Fatiha.
38. *Kilife* : notable, ou chef de famille d'un certain âge.

cimetière, ce fut un tollé général. Un débat nébuleux d'exégèse s'ensuivit.

Attirée par les vociférations des hommes, profitant du pagne de la nuit, toute la gent féminine, de tous âges, assistait silencieuse à la controverse avec une vive curiosité. Les femmes étouffaient leurs rires lorsque fusaient des propos caustiques ou salaces.

Les frères Ciss se montrèrent inflexibles.

— Alors, consultons l'imam, proposa une voix affaiblie.

— Oui, accepta un autre, partisan d'ouvrir la tombe.

— Nous, Ciss, n'avons pas besoin de l'imam. La tombe de notre aîné ne sera pas profanée...

Donc ce matin, le village de Ker Baye Aly était en ébullition. Les villageois et villageoises, dont le quotidien est terne, accueillaient cette confusion comme un évènement, qui resterait d'ailleurs dans la chronique locale.

Mor Ciss, épuisé par les joutes d'hier, n'avait pu assister à la prière de la Perle du matin. Après sa grande toilette, il se rendit directement à l'enclos.

— *Assala-maleikum,* salua-t-il, la voix enrouée.

Oumy, la deuxième épouse du défunt frère, attendait la première épouse, selon la tradition de la Charia, seule. Reconnaissant le timbre de la voix de Mor, elle ne lui répondit pas.

— Oumy, as-tu bien dormi ? demanda Mor en s'asseyant sur un petit tabouret.

— *Deeded* ! Non. Je n'ai pas fermé l'œil de la nuit. Mor, je ne resterai pas cloîtrée ici pour le deuil d'un *yefer.*

— Oumy, c'est bien ton mari, Meyssa Ciss, qui est dans cette tombe !

— Tu n'en sais rien. Tu n'es pas sûr de l'identité de celui qui est dans cette tombe. Et quant à moi, il est hors de question que je reste en cage quatre mois et dix jours pour un impie.

— Tu es musulmane. Tu dois achever ton temps de viduité ici même. Et si tu portais ?...

— De qui ?... De toi ou de Meyssa Ciss qui est à *Ndianiw* ?... Ton frère, là où il est maintenant, sait tout ce qui s'est passé entre nous deux.

Oumy avait été « donnée » en mariage par son père à Meyssa Ciss, en règlement d'une lourde dette. En grande pompe et à la gloire de la famille Ciss, elle avait rejoint son mari. Malgré l'usage de la médecine naturelle, racines, feuilles, cornes et mœlles d'animaux, Meyssa Ciss, octogénaire, ne retrouva pas sa vigueur. Déficient, il assista à la naissance de « ses » trois enfants dont le père n'était autre que Mor Ciss, son frère consanguin.

— Oumy, ne te laisse pas aveugler par nos adversaires. A la sortie du deuil, je t'épouse... Et même, si tu le désires, je répudierai mes trois autres épouses.

— Jamais ! Toi et moi, c'est fini ! Fini... Regarde-moi, je suis encore jeune...

Elle souleva son premier pagne, le second jusqu'à la naissance de la cuisse, écarta son *becio*[39] en coton, enjolivé de scènes osées, brodées de fil rouge et noir. Elle se souleva à moitié tout en fixant l'homme.

— ... Regarde ! C'est bien rasé. Il n'y a aucun poil. Regarde, je ne vais pas me racornir ici comme une peau sans gras. Hier pendant la nuit, j'ai entendu tout ce que tu as dit chez Baye Aly.

Concupiscent, Mor se serait jeté sur elle pour la violer. Il se retint, la respiration haletante. Il dit :

39. *Becio* (bethio) : petit pagne de dessous pour les femmes mariées.

— Si jamais tu quittes Cissen, ton père le payera cher.
— Mon père est mort... Tout le village sait que les trois enfants ne sont pas de Meyssa Ciss... Qu'ils sont de toi. Et si tu me touches, je vais crier et appeler le *sef* gendarme.
— Tu es vraiment une pute !
— Parce que je n'écarte plus pour toi derrière les buissons... Va régler ton problème avec le *sef* gendarme.
— Ciss !
Ne prononçant que le patronyme en signe de salutation, Aminata, la *awa*[40], fit son entrée la bouilloire à la main.
— *Sow !* lui répondit Mor Ciss. Et il ajouta : As-tu passé la nuit en paix ?
— Paix et en paix, *rek*, Ciss.
Mor se retira, penaud.
— Tu es vraiment son *seytane*[41]. Tu l'as rendu dingue, dit Aminata lorsqu'elles furent seules.
Elle plaça le van, vide de monnaie, à la porte.
— Je quitte Cissen ce matin même.
— Et tes enfants ?
Debout, Oumy se dévêtit de ses accoutrements de deuil, pièce après pièce. Dessous, elle portait un ensemble taille basse bien cintré à la taille, dont l'encolure échancrée, laissait libre l'arrondi de l'épaule sur la peau *xessalisée*, avec une jupe, droite, bien moulante, aux dessins fleuris de violet et d'un vert cru.
— Les enfants ? répondit-elle, je les laisse à leur père. Je pars pour toujours.
Elle prit sa besace et sortit.

40. *Awa* : première épouse.
41. *Seytane* : mauvais génie (en arabe).

La rapide métamorphose de sa co-épouse de vingt-sept ans plus jeune, telle une déflagration, figea Aminata. Le monde fuyait, sa bouche se remplissait de boue. Ahurie, elle se répétait mentalement : « *Laillaha Illala* ! » Voyant Oumy s'engouffrer dans le second couloir de palissades, en direction de la route bitumée, ainsi appelée car ce chemin conduit vers la ville, elle porta sa paume à sa bouche, les yeux vides, le regard sans expression.

*
* *

Dès le *Assala-maleïkum* de la fin de prière de l'aube, les énergumènes qui avaient envahi la mosquée allèrent assiéger la devanture de la demeure de Baye Aly. Cette présence massive et inattendue présageait une confrontation. Et la journée était attendue avec crainte.

Comme convenu la veille, les *kilife* vinrent, ainsi que les frères Ciss, l'adjudant-chef Gora en tenue léopard, comme son chauffeur, le revolver à la ceinture, un registre cartonné noir à la main. La délégation catholique fut accueillie froidement. Gora les présenta à Baye Aly, qui connaissait Gor Mag.

L'imam Birame arriva le dernier, secondé par Ismaïla. La réputation de Birame débordait les limites régionales par son érudition islamique et sa pratique du *Fikr* — pensée critique des islamistes. Il s'opposait à l'amalgame de la Charia et des règles de la tradition. Il répétait aux fidèles : « Tous les litiges faisant appel au temporel se discutent hors mosquée, car on peut les modifier. Et lorsqu'il s'agit du Coran, on n'en déroge pas. » Lui-même et sa famille cultivaient la terre pour se nourrir. Hier à la nuit, après le départ de Gora, il n'avait cessé de réfléchir à cette situation. Il connaissait les Ciss et leur vie matrimoniale.

Après avoir salué les présents, Birame prit la main de Gor Mag. L'urbanité s'accompagnait d'une litanie rétrospective d'interrogations : la famille ? les épouses ? les enfants ? les petits-enfants ?... Les compagnons d'adolescence ? Gor Mag, moins austère, répondait à Birame, avec une volubilité surprenante. Il y avait plus de cinq décennies qu'ils avaient subi ensemble, avec le défunt, les mêmes épreuves initiatiques. C'étaient des *mbook mbar*[42]. Leurs parents étaient des amis, malgré leur différence de religion.

— *Bissimilahi*, prononça Birame en s'asseyant à même la peau de mouton et en ouvrant la séance.

— Baye Aly, qui sont ces gens ?... Ils ne sont pas de ton village ? demanda Gora, le bras en direction du groupe face à eux, à une bonne distance.

— Gora, en ma qualité de chef de village, je n'ai convoqué que les *kilife*.

— Nous verrons ça !... Imam, nous voulons savoir ce que l'islam nous conseille dans le cas qui nous concerne, demanda Gora.

Tous s'accrochaient aux lèvres du guide religieux.

— *Bissimilahi* ! Hier, je l'ai déjà exprimé, je ne fais que me répéter. Il y a un doute dans nos esprits. Ce doute nous fait obligation d'ouvrir la tombe. Si les *kérétianes* ont raison, ils emportent leur mort. Dans le cas contraire, on referme la tombe.

— *Muq ! Muq !* Dans cette tombe est couché

42. *Mbook mbar* : ils avaient été circoncis ensemble.

Meyssa Ciss. Elle ne sera pas ouverte ! s'écria Mor Ciss.

Son bras décharné oscillait, négatif.

— Birame ! interpella le vieux Yuga, le ton hargneux, le visage plissé, rigoureux, assis derrière Baye Aly (sa maison est mitoyenne de celle des Ciss). Birame ! Si Meyssa Ciss n'est pas dans cette tombe, ses veuves devront-elles abandonner leur deuil ?

L'allusion à peine voilée du doyen Yuga saisit l'assistance. Jamais personne n'avait eu le courage de s'attaquer à la famille Ciss. Birame laissa s'épaissir le volume du silence. A voix haute, en wolof, il déclara : « Qu'Allah m'éclaire ! » et il ajouta « *Bissimilahi* ! »

— Si quelqu'un ici doit commenter ou répéter mes paroles, qu'il sache que c'est un *haddish*[43] : pour toute épouse musulmane, si le décès de son mari est confirmé par deux hommes de notre foi, la *idda*[44] doit être appliquée.

— Nous ne sommes pas sûrs que c'est Meyssa Ciss qui gît dans cette tombe, dit Yuga avec audace. Et il ajouta : Ses veuves doivent quitter leur deuil.

— Yuga, ne te hâte pas ! Le doute est dans nos esprits. Nous devons vérifier qui est maître de cette tombe. Quant aux épouses, une fois confirmé le décès de leur seigneur et maître, en tant que musulmanes la *idda* est obligatoire pour elles... Cette retraite peut se faire chez le mari ou chez les parents.

— Ey ! Birame et toi Yuga, fermez vos gueules

43. *Haddish* : parole de prophète.

44. *Idda* : période de viduité qui oblige la musulmane mariée, mais séparée de son mari (mort ou divorcé) à attendre plusieurs mois (cycles) avant de se remarier.

en cul de poule, s'écria Mor Ciss d'une voix tonitruante. Il se mit debout : Nous les Ciss, nous ne sommes pas des métèques, ni des castés. Notre frère mort ne sera pas jeté dans un creux de baobab[45]. Baye Aly, est-ce que je suis compris ? Puis il se retourna vers les catholiques : *Yefer-yi*, nous ne laisserons pas profaner cette tombe...

— *Mais ce n'est pas vraiment ça* ! dit en français Gora. Puis en wolof : Voici le registre de l'hôpital. Celui qui est enterré dans votre cimetière est bel et bien Pierre Henri Thioune !

— Gora, tu mens. Ces papiers, c'est toi, et toi seul, qui les as fabriqués, exulta Ndoffène, les yeux débordant d'animosité contre le gendarme. Fort en thème, il prit l'assistance à témoin : Ces *yefer* viennent pour *profaner* nos sépultures sacrées. Et notre imam s'aplatit devant eux comme un serf.

— Violer la tombe d'un musulman, c'est provoquer la colère d'Allah.

— *Soubanalah* ! Qu'Allah nous préserve de Sa colère ! renchérit un autre.

— Les *yefer* veulent célébrer leur culte païen avec les ossements de nos morts, dit un autre.

Des paroles violentes se déversèrent contre les catholiques. Abbé Léon regretta d'être venu, d'avoir cédé par faiblesse. L'ambiance n'était pas œcuménique. Barthélémy, interloqué par la grossièreté des propos proférés par les vieux, se demandait dans quelle Afrique il se trouvait.

Baye Aly intervint avec autorité pour calmer

---

45. Mor Ciss fait référence à un fait : en 1992, au village X, région de Fatick, est mort un vieux pratiquant l'islam. Le rituel funèbre musulman fut respecté : toilette, prière. Au moment de l'inhumation, les Anciens (tous musulmans) s'opposèrent à son accès au cimetière. Argument : le défunt était un casté (griot). Malgré toutes les palabres avec les exégètes et les représentants de l'administration, force restera à la tradition séculaire, datant d'avant leur conversion à l'islam.

tout le monde. Ndoffène, par des raclements de gorge, se dépensait pour capter son attention.

La veille après la houleuse palabre diurne, les trois frères Ciss avaient rendu une visite inattendue à Baye Aly. Ndoffène, le plus acharné, lui avait fait comprendre que « s'il s'alliait avec le gendarme ou avec l'imam contre eux, ils le dénonceraient pour malversation : rétention de dons alimentaires, impôts et taxes ». Et avant de se séparer, Ndoffène lui tordit le bras pour lui dire : « Pour le reste de la nuit, consulte et écoute ce que te conseillera ton avant-bras. »

Au troisième raclement de gorge, les regards de Baye Aly et de Ndoffène se retrouvèrent... Ce dernier se tapotait le coude, mimant un oreiller.

Avant que Baye Aly ne commence à parler d'un ton conciliant, Birame vit le manège.

— Gor Mag, un mort est un mort ! Pour ses parents, pour ses amis, c'est un moment — voire des journées — terribles. Pourquoi ne laisseriez-vous pas ce corps là où il est ? Grâce à notre rituel islamique, ce cadavre ne connaîtra pas les affres de la Géhenne.

Piqué, Aloys cala solidement sa hanche infirme pour hurler :

— Tu ne dis pas la vérité ! Crois-tu que votre religion est supérieure à la nôtre ?... Est-ce que toi, tu laisserais le corps de ton père dans un cimetière de *kérétianes* ?

Les deux doyens catholiques ne connaissaient pas ce tempérament ardent d'Aloys. Ils n'étaient pas mécontents de la réplique.

— Bâtard ! Fils de bâtard ! Sais-tu à qui tu parles ? lui cria Baye Aly, chargeant l'impudent.

L'outrage fait à son auguste personne le blessait, surtout devant des témoins.

— Petite merde, demande-leur pardon à genoux devant nous tous, dit Ndoffène, ajoutant de l'huile sur le feu en cherchant à empoigner Aloys par le col de son veston.

Barthélémy, agile, retint le poignet de Ndoffène et s'intercala entre les deux. Yamar surgit, le repoussa avec violence. La meute des *nervis* armés de bâtons, de massues, de coupe-coupe, hachettes, pilons, s'élança vers les catholiques. Samba, le zélé serviteur de Baye Aly, s'approcha du prêtre pour lui asséner un coup. A l'instant, Birame l'apostropha : « Samba, je te regarde. » Lorsque Abbé Léon vit ce demi-pilon suspendu, menaçant sa tête, il fut effrayé. Son chapeau de paille tomba.

Gora tira trois fois en l'air. Militaire aguerri, il se tenait hors du cercle des assaillants, l'arme pointée sur eux.

— Le premier qui bouge, je l'abats comme un chien ! cria-t-il.

Gaston, son second, vint à son secours, le revolver à la main.

— Baye Aly, si les *kérétianes* ne partent pas, ils seront tous tués.

— Gora, sortez !... Sortez tous ! ordonna Baye Aly, effrayé.

— Gaston, ouvre la marche... Le premier qui bouge, tue-le comme un chien. Barthélémy, Gor Mag, retirez-vous... Exécution !

Gaston, l'arme au poing, sortit en reculant, suivi de la délégation... Gora fermait la marche. La foule, agressive, brandissait des armes blanches en vociférant des insultes. Des femmes et des enfants s'en mêlèrent. Poursuivis, ils coururent vers la jeep, et tant bien que mal s'y embarquèrent sous une pluie de pierres. L'esplanade de la mosquée était noire de monde.

Après avoir toisé Baye Aly, Mor Ciss et Ndoffène, et ne pouvant conserver sa neutralité, Birame leur lança :

— Vous êtes de faux dévots.

— Toi, tu es complice des *yefer*. Tu es acheté par eux. On t'a vu avec ta mentalité d'esclave devant ce vieux *kérétiane*.

— Tous les trois, vous faites honte à la terre.

Deux gaillards, essoufflés, transpirant, les interrompirent. L'un, s'essuyant avec le bas de son froc, annonça en haletant :

— Ndoffène, les *yefer* ont envahi notre cimetière !

— *Mussibë*[46] ! s'exclama Baye Aly.

— Allons les exterminer tous. C'est un soleil de *Jihad*, ce jour, les invita Ndoffène en prenant la main de Baye Aly.

Birame et Ismaïla restèrent dans la vaste cour désertée de la maison du chef. Selon l'usage, Ismaïla marchait derrière l'imam.

— ... Maître... aurais-tu tant de jouissance terrestre pour craindre les conséquences de la manifestation de la vérité ?

L'imam s'arrêta. Après un long moment de méditation, il fit face au disciple, le jaugea des pieds à la tête. La question le troublait.

— Je t'ai bien compris. Certains êtres ont plus besoin d'épreuves humiliantes pour pouvoir accepter la vérité.

---

46. *Mussibë* : malheur, catastrophe.

— Maître, un vrai croyant soucieux de la légitimité est toujours prêt à accepter la confrontation, même seul...

— ... C'est plus nécessaire d'apprendre à mourir avant la mort pour vivre dignement, acheva Birame... Et il dit à Ismaïla pour conclure : Merci de me l'avoir rappelé.

Ismaïla suivit...

DIXIÈME PARTIE

— 13 —

A leur départ de la maison mortuaire, au milieu de la nuit, ils avaient tous pensé à un simple aller et retour : une promenade.

Au mitan de ce jour caniculaire, le *mboye* oppressait les narines, desséchait les lèvres et contraignait à plisser les paupières. Accablés par la chaleur, ils s'abritèrent sous un tamarinier, qui selon la croyance populaire, est un arbre servant de refuge aux djinns et aux esprits maléfiques. Son bois est solide, utile, son ombre épaisse protège le sol des rayons destructeurs du soleil, ses fruits, verts ou mûrs, servent à lutter contre la faim en cas de disette.

Thérèse, la cuisinière avait confié son bébé à sa belle-mère pour pouvoir venir. Elle avait des picotements dans ses mamelles qui s'alourdissaient. Par des gestes brusques des poignets, elle frottait ses seins pour faire cesser l'écoulement des tétines, mais sa camisole s'auréolait d'une tache humide. Comme toutes les autres, elle prit place à l'ombre. La fraîcheur endormante agissait. Elle ne tarda pas à dormir.

Etienne assurait la corvée d'eau avec sa bande. Les grandes personnes, fourbues, trouvaient ces enfants serviables, bien éduqués, et ne tarissaient pas d'éloges à leur endroit.

Dame Véronique, à côté d'Angèle, regrettait ce déplacement inutile.

— Je sens mauvais, dit Véronique en reniflant ses aisselles.

— Moi, j'ai tout le corps poisseux avec mon volume, et la charrette m'a concassée.

Angèle avait oublié quelle avait été l'origine des évènements et leur suite.

— Dès le retour de la délégation, nous prendrons le corps et rentrerons.

— Véro, j'ai des craintes ! Peut-être que nous allons passer la nuit ici.

— Ici ?... Avec les morts ?... Tu veux notre mort à toutes ?

Des clameurs sous le tamarinier les alertèrent. Véronique s'y précipita.

— Thérèse ! Thérèse ! répétait Anna en la secouant avec brutalité.

Le visage inondé de sueur, Thérèse se réveilla difficilement.

— Une mère djinn te pompe les seins pour nourrir son enfant de ton lait, lui dit une autre *Morom.*

— Conduisez-la au soleil avant que le souffle néfaste ne la pénètre...

Au milieu des commentaires des femmes, Anna et Véronique conduisirent Thérèse vers les abris de feuillage...

L'attente de la délégation se prolongeait.

Alfred, Guignane, Diogomay et René firent le tour du cimetière en observant les tertres.

— *Ndeyssane*, ils sont tous à *Ndianiw* à l'heure qu'il est, dit avec commisération le doyen René, les paupières pincées. Il n'avait pas entendu Guignane qui discourait, aussi le somma-t-il : Parle fort, je n'ai rien entendu !

Guignane, en face de lui, répéta ce qu'il venait de dire.

— Même mort, Guelwaar nous lance des défis. Alfred est-ce que tu te souviens de son aventure avec la femme du muezzin ?

René esquissa un large sourire. il avait perdu ses dents de devant ; une gaieté enfantine éclaira son visage.

— A qui tu demandes ça ?... J'étais l'instituteur de ce patelin. A l'époque, nous étions jeunes. Pierre avait conquis le cœur de l'une des épouses du muezzin. Pour retrouver sa dulcinée dans la maison de son mari, il se déguisait en femme : une vieille très âgée, s'aidant à marcher avec un bâton tordu. Daba, la jeune femme, recevait une fois par semaine « sa vieille » au *yor-yor*[47], dans la case de son mari. Personne n'y voyait goutte, et la liaison dura deux bonnes saisons. C'est la belle-mère de Daba qui découvrit le manège.

— Comment a fini l'histoire ? questionna Diogomay, cadet de *Lamane-yi*, en moulinant son poignet pour chasser le fin duvet échappé de la coque de la pomme de Sodome.

— ... Un *yor-yor*, Pierre rendit visite à Daba comme d'habitude... En plein ébat amoureux surgirent quatre malabars, chacun avec un gourdin. Une bataille mémorable. Guelwaar, nu comme une pièce de monnaie, traversa le village en courant poursuivi par les autres.

Amusés, ils éclatèrent de rire sans retenue. René, qui avait enfilé des bribes de phrases, s'égayait, hilare. Son rire franc amorçait la joyeuseté. Alfred, les yeux écarquillés, l'air satisfait de son récit, insistait pour pouvoir poursuivre :

47. *Yor-yor* : mi-matinée.

— Ecoutez la suite : les malabars ramassèrent une croix chrétienne dans le lit. Etant le seul catho du village, les musulmans voulurent me lyncher. Heureusement, les élèves témoignèrent que je n'avais pas quitté la classe.

— Tu serais en ce moment avec eux, là, à *Ndianiw*.

— Oui... Mais quelques mois après, Daba se jeta dans l'unique puits avec son bébé d'une année.

— Oh ! firent-ils, attristés...

— Une auto... là-bas.

Venant du village, un panache de poussière s'approchait. Ils coururent à sa rencontre en direction du tamarinier.

Abbé Léon descendit, un mouchoir blanc collé à son front ensanglanté.

— Qu'est-ce qui vous est arrivé ?

— Les musulmans nous ont attaqués et ont blessé Abbé Léon, répondit Aloys.

— Sophie, soigne Léon, ordonna Gor Mag.

— Il faut appeler au secours, dit Alfred.

— Gor Mag, calmez-vous... Ce n'est pas grave... Gaston, va là-bas avec la jeep, tu barres le passage. Monsieur Thioune, gardez votre calme.

— Nous calmer, voyez-vous ça ! Nous sommes agressés ! Je vais porter plainte pour coups et blessures par bande organisée, lança Barthélémy en français à Gora. Et il questionna : Pourquoi ne les arrêtez-vous pas ?

— Ne soyez pas ridicule. Je vous ai sauvés d'une mort certaine.

— Foutaise ! Hier, vous vous êtes bien moqués de moi. Vous manœuvrez pour coucher les intégristes musulmans dans le lit du pouvoir.

— Et vous, vous vous hâtez de récupérer le corps de votre père pour détaler en France. A propos, monsieur Thioune, savez-vous que chaque année des jeunes Français, viennent pour aider les paysans à bâtir des écoles, des dispensaires et des maternités ?

— C'est vachement beau, votre prêche ! Vous allez me faire chialer. Bigre ! Toutes ces œuvres en apparence de bienfaisance sont politiques. Politiques !... Ne le saviez-vous pas ?... Dites-moi, gendarme...

— Pas de familiarité, Adjudant-chef major ! Vu... ? ponctua Gora, le visage sévère.

— Okay ! Okay, Adjudant-chef ! Okay !... Okay !... Et vous Adjudant-chef, n'avez-vous pas lu que les dons alimentaires, les crédits destinés au développement du pays ont été détournés ?... Ce magot, volé au peuple par une minorité de gens, a servi à acquérir des châteaux, villas et appartements en Europe, aux Etats-Unis. Des sommes détournées dorment dans les banques. Leur montant dépasse le montant de la dette africaine. Avec la dévaluation du franc CFA, ces sommes ont doublé !

Son accent de titi parisien roulant les r chatouillait l'humeur du gendarme.

— J'ai lu des articles de presse écrits dans ce sens...

— Major, vous êtes un gendarme honnête, l'interrompit Barthélémy, heureux d'avoir damé le pion au représentant de l'oppression. Il poursuivit, lyrique : Partout sur le continent africain, la jeunesse bouge, fait sauter les carcans du monopartisme... les jeunes imposent la démocratie au prix de leur vie.

. Gora, tout en prêtant l'oreille furtivement, scrutait sans cesse le sentier conduisant au village. Face à Barthélémy, il affecta le sourire moqueur d'un vieux routier initié au discours africain.

— En effet, monsieur Thioune, les jeunes gens bougent avec courage... Mais vous, vous monsieur Thioune, de quel côté se situe votre participation dans cet élan patriote ?... Je vous écoute !

Barthélémy tarda à se faire entendre.

— ... Volontairement, vous avez fui le combat pour aller vous abriter sous des cieux plus cléments. Voyez-vous, monsieur Thioune, aucune ré-vo-lu-ti-on ne se réalise par procuration.

— Chef !... Chef !... Les villageois ! cria Gaston.

— ... Monsieur Thioune, rejoignez vos frères en religion... Je n'ai pas dit vos compatriotes.

Au pas de charge, la main sur le revolver, Gora s'élança.

— Tuons-les tous !

— Tuer un *yefer* est un acte de piété.

— A mort les *yefer* !

Une foule d'hommes, de femmes et d'enfants brandissant bâtons, pilons, coupe-coupe, fonçait en courant vers le cimetière. Un immense nuage velouté poudreux submergeait les têtes.

Gora usa encore de son arme en tirant en l'air. La sommation entendue, la masse uniforme s'arrêta. La fine poussière se dégonfla avant de retomber sur eux comme une voile de barque. Mor, Ndoffène, Yamar, Baye Aly accédèrent au premier rang.

— Gaston, s'écria de nouveau Gora en wolof pour être bien entendu... Gaston, vise Mor Ciss... Moi, je prends Baye Aly et Ndoffène...

Gaston, obéissant, braqua son arme.

— Baye Aly, c'est à toi que je parle. Tu seras responsable des gens qui seront tués. C'est toi le chef du village qui conduis l'émeute.

Baye Aly flancha.

— Gora, tu entendras de mes nouvelles ! J'ai

demandé à Amadou Fall, le député-maire, de venir ce matin. Je vais te faire révoquer de la gendarmerie. Tu rançonnes les paysans. Nous sommes tous témoins. C'est pas vrai ?

A la question de Baye Aly, tous affirmèrent d'un seul poumon : « Gora vole les paysans ! »

— Mor Ciss, c'est toi qui as blessé le prêtre. S'il portait plainte, je témoignerais en sa faveur. Et tu irais en prison pour longtemps. Une humiliation pour la famille Ciss.

— Ce n'est pas vrai ! protesta Mor Ciss.

Une crainte traversa son esprit. Anxieux, il jeta des regards apeurés à ses deux frères.

— Tu mens, Gora. Tu cherches à nous faire peur. Nous, les Ciss, nous avons des relations et nous sommes des gens de grande « lignée ».

Gora constatait que la virulente animosité des villageois fléchissait.

— En attendant Amadou Fall, le député-maire, restez là où vous êtes. Moi aussi, je vais l'attendre.

— Si les *kérétianes* mettent les pieds dans le cimetière, nous les tuerons, tous, pérora encore Ndoffène, qui avait du mal à exciter la foule.

— Aucun *kérétiane* n'entrera dans votre cimetière... Je vous répète que nous attendons Amadou Fall..., dit Gora, évitant de ranimer leur colère...

— Chef !... Chef !... Les cathos ! l'alerta Gaston.

Gor Mag, Dibocor, Abbé Léon, Barthélémy suivaient le sentier en longeant la haie vive.

— Merde !... Gaston, surveille ceux-là... Tire sur le premier qui avance... Merde !

Gora sprintait en criant :

— Arrêtez-vous !... Arrêtez-vous !...

— Pourquoi tu ne veux pas qu'on rentre et qu'on prenne notre mort ? lui demanda Gor Mag, furieux, lorsqu'ils se rencontrèrent :

— Vous ne pouvez pas entrer là sans leur consentement, lui répondit Gora, essoufflé.

— Nous sommes venus les mains nues. Ils nous ont attaqués, ont blessé l'abbé. Toi, le représentant de la loi, tu ne fais rien... Nous, *Guelwaar-yi, Lamane-yi*, on ne nous humiliera pas comme l'avait fait ton prédécesseur...

— Es-tu musulman ? intervint brutalement Dibocor.

La question du doyen de *Lamane-yi* surprit Gora. Il ne voyait aucun lien entre son travail et sa foi. Il comprit que le vieil homme le suspectait d'être tendancieux.

— Je suis musulman, lui affirma le gendarme comme une bravade.

— Donc, leur frère de religion, ponctua Dibocor en se mettant face à lui, la canne plantée avec énergie dans le sol. Il dit pour conclure : Tu les protèges.

Comme une lanière en peau d'hippopotame, les paroles de Dibocor atteignirent le gendarme là où il était vulnérable : sa probité dans l'exercice de ses fonctions. Pète-sec, il s'adressa à Dibocor :

— Ils ne vous ont même pas écoutés au village. Ils ne le feront pas maintenant. Regardez-les... Ils sont plus nombreux, ils vous massacreront. Ensuite, ce sera des prières à la mosquée et à l'église. Vous voulez une bataille de religion ?... Je ne vous retiens pas. Passez ! Passez...

En se mettant de l'autre côté du chemin et après un moment de mutisme de tous, Gora s'écria :

— ... Abbé Léon, Barthélémy, allez attendre sous l'arbre.

Convaincu que le gendarme disait vrai, Abbé Léon conseilla :

— Doyens, nous allons attendre... et prier.

— Nous ne quitterons pas cet endroit sans le corps, ajouta Gor Mag.

Gora rejoignit Gaston, qui tenait les villageois en respect avec son arme. Gora s'impatientait. Nerveux, il se parla à haute voix : « Pourquoi la section n'est-elle pas encore arrivée ?... J'avais tout coordonné cette nuit. »

— Peut-être que le camion est encore en panne... Ou... alors..., dit Gaston, l'air affecté, je ne sais pas, moi... le préfet ?... Le gouverneur ?

— Tu penses qu'il y a eu contre-ordre ?... Et tu as les jetons ?

— Je suis catholique. J'ai une famille, avoua Gaston sur un ton de supplique qui révélait son état d'âme.

— Je te comprends ! J'assume. Tu n'as fait qu'obéir à ton supérieur, lui dit Gora, pris de pitié pour son second.

L'adjudant-chef, commandant de la brigade régionale savait que Gaston n'avait pas tort. Il agissait sans la couverture du gouverneur ni du préfet. Il avait minimisé une banale erreur administrative. Tout son scénario s'effilochait et risquait de lui porter préjudice. Anodine au départ, cette confusion des dépouilles mortelles était porteuse d'un conflit religieux.

Du côté des villageois, des bruits montèrent. Gora se mit sur ses gardes. La barrière des gens se scinda en deux ; l'imam Birame apparut, tenant le chapeau de paille d'Abbé Léon, suivi d'Ismaïla.

— Il est de mèche avec les *yefers*, annonça Ndoffène.

— C'est un parjure à notre religion. Je suis sûr qu'Allah n'exaucera pas nos prières présidées par lui, émit Mor Ciss à haute voix.

— Attendons la venue d'Amadou Fall. On lui enlèvera la direction de la mosquée.

Birame se garda de répondre. Après les avoir dévisagés, il poursuivit son chemin en direction du tamarinier.

Gora suivait parallèlement le même chemin. Depuis qu'il était en poste, il ne se souvenait pas avoir vu Birame solliciter une faveur, ni intervenir pour quelqu'un. Il se rappelait même que lors d'une réunion, le gouverneur disait : « Imam Birame est l'unique guide musulman qui, par trois fois, a refusé les titres de transports aériens pour le pèlerinage à La Mecque que lui offrait le gouvernement... »

*
* *

Lorsque le gendarme leur suggéra d'attendre, Barthélémy s'isola. Il ne comprenait plus rien à ce qui était arrivé. Pourquoi ne pouvait-on pas mettre ensemble, dans un même cimetière, les morts de confessions religieuses différentes ? Pourquoi cet acharnement à vouloir faire une ségrégation entre les morts ? Ces interrogations, et d'autres semblables, s'infiltraient entre les méandres de son cerveau, comme l'eau entre ses doigts. Cette Afrique en était restée à l'état embryonnaire, selon lui. Son pessimisme du moment lui faisait avouer et accepter sa défaite.

Abbé Léon le rejoignit. Durant un laps de temps, chacun se tut, observant le va-et-vient des villageois s'égaillant dans la nature.

— Ta mère m'a chargé d'avoir un entretien avec toi. Elle craint de se retrouver seule, surtout en ce moment de grande épreuve.

— Nous y avons pensé, Sophie, Aloys et moi. Nous avons parlé à mère. Elle ira vivre à Dakar avec Sophie.

— Votre mère ne peut pas vivre... avec Sophie. Et vous savez pourquoi !... Vous semblez approuver la façon de vivre de votre sœur ?

— Non !... Non !... ponctua Barthélémy d'un geste de la main, chassant la paire de mouches royalement installées sur la tache rouge du chiffon, autour de la tête d'Abbé Léon.

Celui-ci réagit en levant son bras.

— Des mouches..., lui dit Barthélémy.

— Merci.

— Personne n'aime savoir que sa sœur, sa fille ou sa mère se prostitue, poursuivit Barthélémy comme s'il parlait seul. Mais ne nous hâtons pas de condamner ces filles et ces femmes qui se livrent au plus vieux métier du monde. Abbé, ayons le courage social de voir comment survivent les gens aujourd'hui. Il ne peut y avoir de vertu dans la misère et la pauvreté, conclut-il en regardant au loin.

La couleur orange pâle des vêtements de Thérèse, Joséphine et Anna se détachait du gris clair des arbustes.

— Abbé..., de l'eau ?

— Etienne, merci.

Barthélémy se désaltéra.

— Pourquoi ne resteriez-vous pas à Dakar pour travailler et protéger votre famille ? Vous en êtes maintenant le tuteur.

Abbé Léon avait changé son fusil d'épaule et en étouffant sa vive réaction sur la morale, il voulait gagner l'adhésion de Barthélémy à son rêve familial.

— Les jeunes gens des deux sexes des pays africains sont attirés par l'exil en Europe ou aux States. Leur avenir est bouché sur ce continent. Noir, j'ai acquis la nationalité française, plus pour profiter des avantages que par patriotisme... Mère ne veut pas vivre avec Sophie ?... Okay !... Sophie et moi prendrons en charge les frais de mariage d'Aloys. Mère restera avec le frangin au village.

— Comment ? questionna l'Abbé surpris d'apprendre la nouvelle de cette manière.

— Aloys est d'accord. Nous souhaitons célébrer le plus tôt possible le mariage. Car je n'ai pas souvent la possibilité de revenir comme ça au pays.

— Votre deuil vous oblige à attendre un an, dit Abbé Léon d'un ton ferme.

— Abbé, l'Eglise africaine doit s'adapter, avoir une conscientisation pastorale et prêcher le refus de la résignation...

— Abbé Léon !... Abbé Léon ! interpela l'Aîné des Anciens avec de larges gestes, bras et canne levés.

A regret, Abbé Léon alla vers lui...

*
* *

— Nogoye Marie est assise près du cercueil vide de Guelwaar, dit l'Aîné des Anciens lorsqu'ils se retrouvèrent face à Birame qui remit à Abbé Léon son chapeau.

Prestement, le prêtre se recoiffa.

— Je serais gêné de voir en ce moment Maryama, répondit Birame.

— Il n'y a pas de honte à regarder une veuve, mais on baisse les yeux devant elle, dit l'Aîné des Anciens, s'expliquant par parabole.

— Nos ancêtres connaissaient des évidences.

— Allons poursuivre cela...

Ils s'enfoncèrent dans le champ de maniocs nains. Sur une aire dégagée, Gor Mag coucha sa canne à ses pieds. Dibocor l'imita, formant un V avec celle de Gor Mag. Birame déchiffra le signe métaphorique. Il n'avait pas de bâton. Il déroula le turban blanc qu'il portait autour du cou et l'étendit pour coiffer la lettre. Les trois Anciens, après s'être dévisagés, enjambèrent le triangle pour s'asseoir, chacun à un angle.

Abbé Léon, Gora, Barthélémy, Ismaïla se tenaient à distance. Sans bien saisir la symbolique des signes, ils surent qu'ils étaient exclus de l'entretien.

— Birame, je suis effrayé par ce qui nous arrive, débuta Gor Mag. Aujourd'hui, nous perdons toutes nos valeurs. Et nous, les Anciens, nous ne sommes plus des modèles ni des références. Ecoute parler ceux qui nous gèrent à la place des tubabs d'hier. Ils ne parlent plus nos langues. Des perroquets ! Le vol, le détournement des deniers publics sont devenus des valeurs héroïques !

L'Aîné des Anciens soupira. Il parlait avec son cœur. Un trop-plein de rage longtemps refoulée le sortait de sa prostration.

— Au conseil des doyens, *Guelwaar-yi,* nous avons chargé Perr de dénoncer la déprédation, la concussion et la distribution répétée des dons alimentaires. Car notre peuple est devenu un peuple de grabataires, un peuple de nécessiteux. Or, Dieu ou Yallah nous a pourvus de membres comme tous les hommes de la terre. Nos parents ne nous ont pas élevés dans cet état d'assistés. Et Perr l'a rappelé lors d'un meeting de partage des dons. On l'a agressé et il en est mort à l'hôpital...

— *Allahu Akbar !...*

— Et nous, *Guelwaar-yi,* par lâcheté nous avons

gardé le silence. La culpabilité nous ronge. Après moi, c'est toi Birame qui as enfourché le mortier. Le sang de nos prépuces s'est coagulé sur la même lame. Après toi, c'était Perr. Nos bouts de chair impure sont enfouis dans le même trou. Et cette terre garde le secret...

— Vrai de vrai, ponctua Birame.

— ... Jamais conflit n'est venu assombrir les rapports de nos parents, quand bien même ils étaient de croyances différentes. C'est ce que j'avais à te dire...

Le silence des trois hommes devenait de plus en plus pesant. L'aile du vent fit entendre le braiement d'un âne.

— Dibocor, j'ai entendu les paroles de Gor Mag et compris ce qu'il n'a pas dit. *Bissimilahi* !

Birame, après avoir déroulé son écharpe, la passa autour de son cou et il prit la direction de la porte du cimetière. Les deux frères, Ndoffène et Yamar, le devancèrent et lui en barrèrent l'accès.

— Ndoffène, toi et Mor Ciss, vous devez accepter qu'on regarde qui est dans la tombe.

— *Muq* ! *Muq* ! clama l'aîné des Ciss.

— Mor Ciss, tu peux mentir aux hommes que nous sommes, mais jamais à Allah.

— Birame, c'est toi le menteur, lui lança Ndoffène, l'index pointé sur la poitrine de l'imam.

Ismaïla, sidéré par l'outrage fait à son Maître l'empoigna par la nuque, le fit pivoter et hurla :

— C'est vous les Ciss qui êtes des menteurs. Tous les villageois connaissent votre immoralité.

Dans un bond, Birame arracha des mains de Samba, le demi-pilon, pour asséner un coup sur l'épaule droite de Yamar qui allait sauter sur Ismaïla. Yamar, comme une masse, s'écroula sur le côté.

— Le premier qui bouge, j'enfile sa mère avec ça...

— *La illaha illalah,* l'imam a prononcé un gros mot ! aboya Samba, roulant des yeux.

L'acte violent accompagné de l'obscénité de l'imam les paralysèrent. En quinze années d'imamiya, c'était la première fois qu'ils entendaient Birame prononcer une grossièreté. Ils reculèrent, leurs regards fixés sur lui qui avait une expression furieuse, les bras levés haut avec le gourdin prêt à frapper de nouveau. Ses lèvres remuaient. Il se répétait : « *Astafurla* ».

Le vrombissement d'un moteur envahissait l'espace. Une longue queue de poussière farineuse suivait le bolide. Des jaillissements d'éclairs métallisés miroitaient par endroits.

— C'est Amadou Fall, le député-maire, dit Baye Aly comme dans une délivrance. Et il ajouta : Venez tous !... Venez tous !

Ndoffène, Mor Ciss et un autre gars soutenaient Yamar.

L'auto s'arrêta. Les hommes et les femmes exécutèrent des génuflexions. Amadou Fall descendit de voiture.

— Chauffeur, mettez la Mercedes à l'ombre, ordonna-t-il avant de serrer les mains.

Le préfet sortit le dernier de la voiture... Distant, mains au dos, il alla à la rencontre de l'adjudant-chef gendarme.

— Qui vous a prévenu ? demanda Gora après avoir exécuté le salut militaire.

— Amadou Fall est venu en catastrophe à la gouvernance. Baye Aly l'a informé cette nuit. Et le gouverneur m'a ordonné de venir voir. Cette histoire, c'est quoi ?

— La famille Ciss s'est trompée de cadavre !

Hier, j'étais venu parlementer. Dans la nuit, ils ont mobilisé des vauriens pour semer la zizanie. Maintenant, Baye Aly et les Ciss s'opposent à la vérification de la tombe.

— Baye Aly et les Ciss sont de grandes familles, avec des alliances puissantes. En cas de pépins, ne comptez pas sur les chefs. Tu as agi seul, sans te référer à tes supérieurs.

De sa démarche de héron des berges poissonneuses, le préfet inspectait des yeux le cimetière. Puis il se retourna et s'enquit :

— Au fait, qui est ce cadavre que réclament les cathos ?

— Pierre Henri Thioune, plus connu sous l'appellation de Guelwaar.

— Merde... J'avais appris qu'il était à l'hôpital... Un drôle de gus... Je m'en souviens, vous m'aviez demandé qui il était. Il avait fait son numéro lors d'une distribution des dons... Voici l'histoire...

Cet après-midi-là, tous les chefs et notables des villages de la région étaient présents, ainsi que des représentants des organisations caritatives, des ambassadeurs. Un grand meeting avec tam-tam et folklore. Le député-maire devait prononcer le discours de bienvenue, moi, je clôturais en tant que représentant du gouverneur de la Région. Un vieux devait aussi parler pour remercier les donateurs.

Voilà que l'animateur donne la parole à Guelwaar. Descendu de la tribune, sans aucune formule de politesse et sans traduction en français pour nos hôtes, celui-ci commença :

« *L'index pointé à l'horizon, c'est pour indiquer le chemin à un étranger. Les cinq doigts réunis, paume ouverte à un étranger, c'est mendier. C'est ce que nous faisons. Nos dirigeants nous ont rassemblés pour recevoir ces dons. Nos dirigeants vont bientôt se confondre en gratitude, en notre nom à tous, à l'égard de nos illustres bienfaiteurs. Nos dirigeants vont jubiler comme si ces produits étaient les fruits de leur sueur. Quant à nous, peuple muet, nos femmes et nos filles vont danser devant ces dons.* La... Wooowoo *! Quand allons-nous savoir qu'une famille ne peut s'enraciner, se construire, se solidifier dans la mendicité à perpète ?... Cette séance de donation se répète depuis des décennies. Ces fréquentes distributions nous assassinent et tuent en nous toute velléité de dignité, d'orgueil. Ces peuples qui nous offrent ces produits avec une ostentation feinte rient de nous. Nos fils et nos filles vivant parmi eux, à l'étranger, en sont humiliés. Certes, nous sommes assaillis, subjugués par toutes sortes de calamités...* Wooo !... Woo ! *C'est à nous, à nous seuls d'y faire face. Notre ancêtre Kocc Barma nous a légué cette pensée : « Si tu veux tuer un homme de grande valeur, offre-lui tous les jours ce dont il a besoin pour vivre. A la longue, tu en fais un serf : un* daq *! » Ces vivres appétissants, exposés devant nous, ravinent chaque fois toute résistance à l'adversité, amoindrissent nos volontés. La sécheresse, la famine, les maladies ne sont pas des opprobres. L'opprobre, c'est lorsque ceux qui nous gouvernent ne sont pas capables de prévoir l'affrontement de la nature. L'opprobre c'est encore — comme nous, ici présents — lorsque tout un peuple attend qu'un autre peuple le nourrisse, l'habille, le soigne. Et ce peuple de mendiants, comme nos dirigeants, n'auront qu'un seul mot à se répéter de génération en génération :* « Jerejef !... Jerejef ! »

... Le préfet se tut, le regard lointain. Il fit une pirouette de côté et reprit :

— Les propos de Guelwaar assommèrent Amadou Fall. Il fit signe à un de ses gorilles d'approcher : « Faites-le taire pour de bon. »

— D'où son agression.

— J'étais pas présent. Mieux, *Guelwaar-yi* distribuèrent la diatribe, en wolof traduite en français. Il y eut des échos dans la presse locale indépendante.

— Monsieur le Préfet ! Monsieur le Préfet ! Je proteste, s'exprima d'une voix forte le député-maire pour être entendu. L'adjudant Gora abuse de ses fonctions. Outre qu'il pratique l'extorsion chez les pauvres paysans, maintenant, il les menace de tirer sur eux. Vous pouvez questionner ces pauvres gens. Et seul il décide, sans se référer aux autorités, de saccager des tombes avec la complicité d'une bande de vieux catholiques. Monsieur le Préfet, vous êtes témoin...

Le préfet avait aperçu les catholiques qui approchaient. Il alla vers eux sans répondre. Après les salutations aux doyens et à Abbé Léon, la main mollement tendue, il attendait l'autre main, celle du jeune homme.

— Monsieur ?...

— Barthélémy Thioune.

— Monsieur Thioune, dit le préfet en retirant sa main que Barthélémy refusait de serrer.

— Préfet, nous voulons le corps de Guelwaar que les musulmans gardent dans leur cimetière, déclara Gor Mag.

— Ce n'est pas vrai ! tonna Amadou Fall en français. Votre seul but est de déstabiliser la région en provoquant un conflit religieux. Sachez que l'islam est africain.

— Vous êtes givré, ma parole ! hurla Barthélémy en pointant son doigt. Vous vous gourez sur toute la ligne ! Votre religion vient d'où ?... Et ne me jactez pas qu'elle est née sur les berges du Limpopo ?... du Nil ?... ou du Niger ? Vous allez en pèlerinage à La Mecque ! C'est en Arabie Saoudite ! Nous chrétiens, nous nous rendons à Jérusalem : c'est en Israël ! Alors ? Alors ?

Barthélémy planta son regard, à travers les verres fumés, sur Amadou Fall qui, désarçonné par l'arrogance et la fixité des yeux de son vis-à-vis, poussa un gloussement. Hypocrite, il voulut prendre Barthélémy par l'épaule.

— Ecoute, petit ! Qui es-tu ?

— Bas les pattes ! lui répondit Barthélémy en rejetant le bras... Et toi, d'où sors-tu ? Nous n'avons pas été ensemble au bordel.

— Je suis le député-maire.

— C'est tout !... Moi je suis le fils du défunt Pierre Henri Thioune, mort des suites d'un guet-apens. Tu piges ? Son corps est dans ce cimetière. Ce gendarme détient les preuves. Là-bas, sous cet arbre, ce sont des citoyens sénégalais de confession chrétienne...

— Assez !... Assez !... s'exclama l'Aîné des Anciens, furieux. Assez ! Vous ne pouvez pas vous parler dans la langue de vos mères et de vos pères ?... Et toi, toi, tu sais bien que nous *Guelwaar-yi, Lamane-yi,* nous ne nous laisserons pas traiter comme ceux de la taxe. Nous savons que les gendarmes ont l'habitude de frapper... Préfet, je te répète que nous ne partirons qu'avec le corps...

— Il n'y a aucune preuve que le corps de votre... de... votre... est ici, s'échauffa Amadou Fall.

— Si... Voici les deux certificats de décès, et l'unique autorisation de sortie, établie au nom de Pierre Henri Thioune.

Gora exhiba la paperasse sous les yeux du préfet.

— Où est donc le corps de Meyssa Ciss ?

— Monsieur le Député, le corps de Meyssa Ciss est à la morgue.

— Pourquoi n'avez-vous pas apporté le corps ?

— La gendarmerie n'est pas un service de pompes funèbres.

« Des gendarmes ! Des gendarmes ! » hurlèrent les villageois avec frayeur.

— Monsieur le Préfet, j'étais avec le gouverneur et il ne vous a pas donné cet ordre...

— C'est moi... Moi, Commandant de la brigade régionale... Moi seul qui me suis donné ce droit, lui répondit Gora en se frappant la poitrine.

— Vous êtes fou... Vous outrepassez vos prérogatives. J'espère que cette force d'intervention n'est pas destinée aux villageois.

— S'ils font obstruction à l'accomplissement de mes devoirs, la force de sécurité agira avec rigueur et avec les moyens à sa disposition.

— Il est fou ! Fou pas petit... Il n'a pas le droit ! Vous êtes témoin, monsieur le Préfet... Il faut le rayer de la gendarmerie..., de l'administration, tempêtait Amadou Fall, regardant Gora intercaler les hommes armés entre les musulmans et les chrétiens autour du cimetière.

— Gardez votre calme, monsieur le Député. Gora agit seul, il n'est couvert par aucun de ses supérieurs. Quant à vous, si j'ai des conseils à vous donner, c'est d'éviter la répétition de cet incident de la taxe rurale. Un incident entre cathos et musulmans vous serait très préjudiciable. Parlez à Baye Aly, aux Ciss, qu'ils laissent le gendarme se casser la gueule...

Amadou Fall approuva du chef et s'empressa vers les villageois.

*
* *

Dès l'irruption des gendarmes bardés de leur armement, un vent de panique s'empara de la communauté chrétienne. Les femmes, près du tamarinier avec Dame Véronique et Nogoye Marie, n'avaient pas bougé. Les jeunes gens les entourèrent, ainsi que le cercueil et leur croix. Cette présence protectrice des gamins provoqua l'esquisse d'un sourire, le premier depuis des jours.

Guelwaar-yi, Lamane-yi et les autres hommes formèrent un cercle, debout pour décider. Gor Mag au centre, les mains crispées au sommet de sa canne, était en proie à des tremblements. Il dit :

— Le député-maire, le préfet et le gendarme ont fait venir leurs chiens pour nous empêcher de prendre le corps de Perr.

René, le sourd, allongea son cou ridé, faisant errer son regard doux, avide de comprendre, sur les visages et les lèvres de ses pairs.

— Pourquoi devons-nous aller contre la volonté divine ? Regardez les soldats, ils sont bien armés. Nous nous souvenons tous comment ils se sont comportés pour nous obliger à payer la taxe rurale. Regardez-les...

A la demande de Guignane, tous regardèrent les gendarmes bien alignés, prêts à la charge. Les courtes baïonnettes en acier inoxydable, aux pointes acérées, scintillaient. Sur leur poitrine étaient accrochées les grenades lacrymogènes.

— ... Avec quoi allons-nous nous opposer à eux ? Nos mains nues ? Laissons notre frère dormir avec les musulmans, c'est la volonté divine.

— Volonté divine ! répéta Gor Mag, le ton haut. Ce n'est pas la volonté divine qui t'inspire en ce moment, Guignane ! Plutôt la trouille des gendarmes !

— Nous savons tous comment les gendarmes agissent avec nous paysans. Quelle honte y a-t-il à reculer lorsque l'adversaire est mieux armé que toi ?

— Toi, tu as entendu ton coq chanter trois fois, ce soleil ! Devant les gens en armes, nous voulons tous fuir la queue dans l'anus, apostropha l'Aîné des Anciens, pressentant la lâcheté de *Guelwaar-yi*.

Abbé Léon, prude, abaissa ses paupières. Barthélémy glissa du coin de l'œil un regard vers le prêtre. René, le sourd, semblait gober la phrase salée, il explosa d'un rire franc, communicatif, qui détendit l'ambiance. A pas mesurés, le doyen Dibocor traversa le cercle en s'arrêtant à la hauteur de la haie vive. Droit, le menton levé, les doigts entrelacés sur sa canne, ses prunelles aux éclats cendrés parcoururent les pointes de graminées en jachère, les épitaphes sur les tertres. Un souffle de vent fit voler et tomber des ligaments soyeux, les réunissant en un serpentin qui s'enroula autour de la tige d'un arbrisseau.

— Wagane[48] !... Wagane !... Wagane, enfant de ma cadette Ayu Sarr, moi ton oncle, Dibocor Sarr, je te parle. Là où tu es avec les aïeuls, tu

48. Prénom africain de Pierre Henri Thioune.

m'entends. Je te salue et les salue aussi. Vivant avec nous, tu étais intrépide, mon neveu. Aujourd'hui, tu reposes parmi des gisants qui ne partagent pas ta foi. Wagane, sois poli avec eux. Ton chemin conduisant à *Ndianiw* est tortueux. Moi, ton oncle Dibocor Sarr, je vais parler à ta place à tes copains. Mon neveu, prête-moi ta langue.

Il se tut, resta un temps à regarder devant lui. Le dialogue incantatoire avec le mort gênait Abbé Léon. Ni Dieu, ni aucun des prophètes n'avait été invoqué. Il ne pouvait intervenir pour faire cesser cette forme de relation entre les morts et les vivants. Dibocor fit face au cercle. Trois pas et il se plaça à l'axe, le regard circulaire...

— *Guelwaar-yi*, mon neveu Wagane Thioune a été votre messager. Wagane Thioune a délivré votre message à l'endroit et au moment que vous avez choisis. Wagane Thioune a été tué pour sauvegarder votre dignité, votre fierté, *Guelwaar-yi*. Il est couché là. Ce n'est pas sa place... Vous êtes venus pour le prendre... A la vue des soldats, vous voulez l'abandonner... Fuir... Vous croyez avoir de la dignité ?... Non... Avoir de l'orgueil ?... Non... *Guelwaar-yi*, vous pouvez regagner vos maisons... Moi, son oncle, Dibocor Sarr, avec *Lamane-yi* nous rentrerons avec le corps... Ou alors nos corps... resteront ici... *Guelwaar-yi*...

— Abbé Léon !... Abbé Léon !... criait Dame Véronique.

*

* *

Les femmes s'agglutinaient autour de Dame Véronique, leur cheftaine. La présence menaçante des forces de l'ordre les inquiétait énormément. Sans se l'avouer, elles étaient prêtes à oublier le cadavre.

— N'ayons pas peur, dit Véronique en tentant de dominer son angoisse.

— Moi, j'ai un bébé à allaiter. J'ai peur des militaires, dit Thérèse en titillant ses seins. La tache sur sa poitrine s'était élargie.

— Ce ne sont pas des militaires, ce sont des gendarmes, rectifia Angèle, suant à grosses gouttes.

— Où est la différence entre militaires et gendarmes ou policiers ? Ils sont venus là pour nous chasser, expliqua Sophie pour dire quelque chose.

— Nous pouvons, nous femmes, battre les gendarmes, insinua Hélène d'une voix persuasive.

Toutes la fixèrent avec espoir : l'espoir d'une vengeance.

— Comment ?... Parle !... Parle vite, ma fille ! quémanda Dame Véronique qui, dans un sursaut, s'empara avec affection des poignets d'Hélène.

— Nous mettre toutes nues !

Le soleil serait descendu sur terre, retenu par une simple ficelle qu'il n'aurait pas fait plus d'effet que ce qu'elles venaient d'entendre. Aphones, plus d'une minute, toutes émirent ensuite un « tchim » méprisant qui traduisait leur aversion pour une telle pensée.

— Oh ! *Roog* ! ponctua Dame Véronique. Il n'y a que... que...

— Des putaines pour penser de la sorte ! acheva Sophie quand tante Véronique et elle se firent face. Puis Sophie proposa : Hélène, nous deux allons nous mettre nues devant les gendarmes.

— Abbé Léon !... Abbé Léon ! appela Véronique lorsque les autres s'éloignèrent avec célérité.

Sophie et Hélène, derrière un buisson, ôtèrent leur vêtement de dessus, puis attaquèrent le bas. Abbé Léon arriva précipitamment. Vite, il se retourna en exécutant le signe de croix avant de leur parler.

— Hélène et Sophie, votre décision est louable. Cela vous honore de vouloir donner une sépulture chrétienne à notre défunt, mais ce que vous voulez faire n'est pas *nécessaire* (il n'a pas prononcé le mot « péché »). Dieu ne nous abandonnera pas.

La tournure des évènements suscités par l'enlèvement du corps de Guelwaar le troublait. N'eût-il pas été plus indiqué de réunir son troupeau et de rentrer au bercail ? Ensuite, il informerait ses supérieurs. Il n'avait pas fini son monologue qu'il bondit en entendant Anna, qui de sa voix de soprano entonnait le *Requiem Aeternam*. Une fureur profonde assombrit davantage son visage. Il fronça les sourcils avec sévérité. Sa rigidité morale d'ecclésiastique ne pouvait accepter cette violation du sacré. Une impiété ! Ce requiem ne doit être chanté qu'à l'intérieur de l'église.

Sophie et Hélène se rhabillaient et se précipitèrent vers la chanteuse.

Comme une invite à une action de grâce, Nogoye Marie, Dame Véronique, *Morom-yi*, *Guelwaar-yi* et *Lamane-yi* se joignirent pour former un chœur. Etienne et Yandé levaient la croix. Abbé Léon bougonnait, pestait. Il finit par rejoindre le groupe.

*
* *

Amadou Fall, député-maire pragmatique, avait suivi le conseil du préfet. Il convainquit Mor Ciss, ses deux frères et Baye Aly de laisser « ouvrir » la tombe.

— Un camion de vivres me suit... Dès que tout sera fini, ici... Nous irons réceptionner les dons : riz, farine, lait en poudre... etc.

— Vive Fall ! Vive Fall !... Tu es notre père à tous ! clama Baye Aly en levant les bras.

— Vive Fall !... Vive Fall !... répéta la foule.

Après avoir disposé ses hommes, l'adjudant-chef Gora se rendit compte qu'il ne savait pas où se situait la tombe.

— Mor Ciss, montre-moi la tombe.

— *Muq !... Muq !...* Jamais !... Jamais !... lui répondit Mor Ciss, ses mains se balançant négativement.

— Monsieur le Préfet, aucun *kérétiane* ne doit fouler le sol du cimetière, dit en wolof Amadou Fall pour être compris des paysans.

Le préfet, mains au dos, distant, observait les catholiques de l'autre côté, sous le tamarinier : un tableau de coloris variés d'où s'élevait le *Sanctus Benedictus*.

— Quelqu'un doit me montrer la tombe ! tonna Gora en barrant le passage.

— Vous faites cavalier seul !... Agissez comme vous voulez !

Gora vomissait ce type devant lui, comme tous ses semblables. Laminés par leur école, ils jugulaient toute volonté de faire progresser, de rénover leur société. Un seul souci les habitait : avoir de l'argent. Pas une autre once d'ambition ne les tenait. Etroits d'esprit, craignant tout changement, ils s'agrafaient à des textes surannés, s'y enfermaient dès que le sujet leur échappait. Une légion de poux nidifiaient à toutes les articulations du corps social et rendaient l'administration impotente. Gora conclut en murmurant : « Les hommes arriveront à se guérir du sida, mais jamais de cette pustule de gangrène : ce sont des termites. »

— Je n'ai pas bien entendu ?... Vous dites ?... questionna le préfet.

— Je suis sûr que les hommes arriveront à se guérir du sida. Jamais ils n'éradiqueront le germe des fonctionnaires... Des termites... Comme je ne peux avoir accès à la tombe pour vérifier, je réembarque mes hommes. Vu ?

Le préfet encaissa froidement. Il avait toujours abhorré Gora pour son indépendance d'esprit et son manque de subordination.

— *Assalamaleïkum*, saluait Birame qui s'était approché pour serrer les mains du préfet et du député. Après sa dispute, il s'était tenu à l'écart.

— Imam, je suis prêt à ouvrir la tombe. Mais personne ne veut la montrer.

— Gora... ce jour-là, j'étais présent.

— Je connais l'emplacement, dit Ismaïla.

— J'ai vu des pelles avec des *kérétianes.*

— Apporte-les moi. Je vais moi-même l'ouvrir, proposa Birame.

Le préfet et le député se regardèrent, la rage plein les yeux.

*
* *

Le *Assalaa-maleïkum* bien articulé et à voix haute de l'imam, en guise de révérence dédiée à ceux qui gisaient là, fut entendu de tous. Debout, il prononça la formule d'usage.

Ismaïla, les deux pelles à la main, lui désigna l'amoncellement de terre, surmonté d'un *alluba,* l'épitaphe en arabe : « *Allahu Akbar : Meussa Ciss* » en rouge. Birame déplanta la planchette qu'il coucha à côté.

Poussés par la curiosité, les villageois, hommes et femmes, vinrent s'aligner le long de la haie.

Après plusieurs pelletées, Ismaïla dégagea la forme allongée jusqu'aux reins. Birame s'était attaché le haut du corps... Apparut, comme un sarcophage, le linceul d'une teinte gris sale, suintant. Brusquement, une escouade de grosses mouches d'un vert luisant envahit l'espace. Ismaïla fut secoué par une quinte de hoquet et une envie de vomir. Il se pinça les narines à cause de l'odeur nauséabonde qui se dégageait.

— Ravale ! Ravale, je te répète ! tonna Birame. Il y a moins d'une semaine, cet homme qui est là était comme toi et moi. Ravale et reprends ta pelle...

Ismaïla retint sa respiration. Sa pomme d'Adam montait et descendait. D'un geste nerveux, il chassa les mouches encore plus nombreuses. Il reprit docilement son travail. Le sol trempé dégageait une odeur de viande faisandée... Birame, qui semblait insensible à cette présence, de la main repoussait les mouches. Mais chaque mouvement était comme une invite. Chassées d'un côté, elles revenaient plus insistantes. Birame sortit et se rendit du côté des catholiques.

— Gor Mag, j'ai besoin de quatre pagnes.

Dame Véronique les lui remit. Chez les musulmans, il réquisitionna quatre hommes, les plaça à chaque angle, chacun tenant deux extrémités des pagnes. Ismaïla se chargea d'éventer pour éloigner les bestioles volantes.

Birame, tout seul, redescendit dans la fosse tant bien que mal, se pencha du côté de la tête. Le cadavre avait bien été enseveli dans les règles édictées par l'islam : couché sur le flanc droit, le visage vers l'est. Comme un géologue ayant découvert un objet précieux et friable, datant de siècles et de siècles, il dépaquetait la tête avec circonspection. Le suaire, naguère linceul d'un blanc immaculé, était d'un gris sale, humide. Il déficela le nœud du cou... Une nuée de mouches irrévérencieuses se répandirent, plus agressives. Birame secouait la tête des deux côtés, remuait les épaules pour éloigner l'essaim. L'odeur fétide, pestilentielle, s'exhala. Birame se souvint de son *karamogho*[49] qui lui répétait : « L'existence est charogne, seuls chiens et hyènes se la disputent. » Il marmonna une litanie à la gloire d'Allah, en décollant des lambeaux d'étoffe sur la physionomie du défunt : la bouche, le nez, les yeux, le front.

Ce matin-là, dans la cour de la maison de Baye Aly, malgré les griffes de l'âge gravées sur le visage de Gor Mag, il l'avait reconnu sans grand effort. Leur enfance avait surgi, fraîche, vivace. Un brin de réjouissance dans une ambiance de tristesse.

Birame voulut se rappeler, se représenter Perr Wagane[50]. Il se triturait la mémoire. Dans un fond d'eau claire à la surface mouvementée, houleuse, l'image de ce copain d'alors apparaissait imprécise, s'agitait, se dérobait. Les années de séparation sans se revoir avaient effacé les détails, ne laissant qu'une silhouette incertaine que retenait le fil ténu des réminiscences. Par contre, il était sûr de reconnaître l'octogénaire, Meyssa Ciss.

49. *Karamogho* : maître en malinké et bambara.

50. Il était déjà parti faire ses études coraniques lorsque les autres devenus adolescents se dénommèrent *Guelwaar-yi*.

Il se souvenait bien du visage marqué par une verrue sur le nez, de son front haut et large.

Et celui à qui appartenait cette physionomie n'était pas Meyssa Ciss.

Lorsqu'il se redressa, chassant les mouches, il récita *Aurore*, la sourate CXIII, avant d'aller quérir le préfet, le député, Gora, Baye Aly et Mor Ciss.

— *Allahou Akbar* !... Regardez, leur dit Birame lorsqu'ils furent autour de la tombe.

— Vrai de vrai, ce n'est pas Meyssa Ciss, reconnut Baye Aly.

— *Allahou Akbar* !... Ce mort a eu en premier lieu les sacrements d'un musulman, il recevra enfin celui des *kérétianes*. Allah seul connaît ses élus.

Le mouchoir sur le nez, le préfet fit signe à Amadou Fall. Lui aussi s'était bouché les narines.

— Les cathos ont raison. Je ferai moi-même le rapport au gouverneur : une simple erreur administrative. Je rentre avec Gora.

— C'est ça ! La région a besoin d'un autre commandant de brigade de gendarmerie. Je vais aller au village avec les gens... ajouta Amadou Fall. Et se tournant vers Baye Aly : Baye, tu as voulu me discréditer devant les autorités et le peuple ! Tu n'es pas digne d'être chef de village. Mor Ciss serait mieux à ta place.

— Je te jure, au nom d'Allah, que c'est Mor Ciss et ses frères qui ont trompé tout le monde. Les Ciss ont tout manigancé... Viens ! Viens !

Par petits groupes, les gens commentaient l'évènement. En colère, Baye Aly s'écria :

— Mor Ciss, tu nous as menti ! Ce n'est pas Meyssa Ciss qui est couché dans cette tombe !

— Baye Aly, c'est toi le menteur... Nous, les Ciss, on ne voulait pas que les *kérétianes* violent notre cimetière de musulmans. Et tu étais d'accord avec nous... Où est le corps de Meyssa Ciss ?...

— Calmons-nous ! Calmons-nous ! intervint Amadou Fall. Ce n'est la faute de personne. C'est la faute de l'hôpital et du gendarme. Le corps de Meyssa Ciss se trouve à la morgue. Allons tous réceptionner le camion de vivres...

— Vive Fall !... Vive Fall ! clamait la foule entraînant des volutes de poussière vers le village.

L'adjudant-chef Gora embarqua ses hommes et courut remettre la paperasse à Barthélémy.

— Vous voilà maintenant satisfait. On a retrouvé le corps de votre père, et voici le permis d'inhumer.

— Eh oui ! Tout est bien qui finit bien. J'ai toujours été sénégalais.

— Bonne chance, petit...

— A toi aussi, gendarme.

L'épais nuage de poudre rosâtre, soulevé par les véhicules de la gendarmerie, voltigeait.

Assisté d'Ismaïla, l'imam roula les restes mortels dans le tissu orange pâle de *Morom-yi*. Contemplant la forme inerte habillée de la couleur criarde, si voyante, il était déçu... Orgueil... se dit-il.

Une seconde fois, il se rendit près de la haie occupée par les catholiques et se présenta à la veuve.

— Maryama[51], mes condoléances.

— Birame, nous partageons les mêmes peines du cœur.

— Allah en est témoin, je compatis, répondit-il.

51. Maryama : l'imam Birame se réfère phonétiquement à la sourate III du Coran : Famille IMRAM.

Et à Gor Mag : J'ai besoin de pagnes de qualité et d'un cercueil.

— Je peux t'aider, proposa Gor Mag.

— J'ai des bras disponibles, dit Birame.

D'abord son regard fut cruellement frappé par la croix en fil de fer qu'Etienne tenait haut... Et quand quatre personnes transportant la bière, une croix en bois clouée sur le couvercle, voulurent entrer en écartant les plantes vertes, Birame tonna :

— Pas de cercueil avec la croix dedans !

Gor Mag était décontenancé.

Les pagnes à la main, l'imam s'orienta en oblique, par rapport aux chrétiens. Il appela Ismaïla. De dessous un taillis, ils retirèrent le « reposoir », un tronc de tamarinier sculpté en forme de lit à quatre pieds. La dépouille, bien enveloppée dans les pagnes tissés à la main, couchée sur le reposoir, évoquait le silence.

Birame considéra la forme enroulée avec ravissement. Une lente coulée de satisfaction inonda son cœur. Il était content d'avoir donné dignité à cet homme. Qu'importe la religion !...

Guelwaar-yi réceptionnèrent leur collègue pardessus les calotropis.

— Birame, tu as fait honneur à l'Homme !

— Gor Mag, « lorsque tu verras un charognard manger la chair de ton ennemi, chasse-le... Et distoi qu'il mange ta chair. »

Les deux septuagénaires se dévisagèrent, silencieux, sans haine, ni rancune.

A l'extrémité du cimetière, la voix d'Ismaïla appelait à la prière de *Takussan.*

ONZIÈME PARTIE

— 14 —

L'appel du muezzin à la prière de *Takussan* s'affaiblissait à mesure que le cortège des chrétiens s'éloignait.

L'épaisse couche de poudre suspendue dans l'air s'était envolée au mitan du jour. Et en fin de journée, le soleil convalescent jetait des rayons faiblards. Le ciel était sans oiseau, vide. Au loin se reflétait, couleur ocre, la crête d'une dune.

Anna, ne pouvant retenir sa joie, attaqua en solo un motet. Avant la chute, le chœur de *Morom-yi* s'éleva. L'immense paysage de terre cuite, sucé par le soleil jusqu'à l'os, parsemé de petits bois d'épineux, de jujubiers, de rôniers, de baobabs pansus, retentissait. Une réponse d'allégresse comme une vague déferlante, rebondissait d'un point à l'autre de la colonne.

Nogoye Marie se sentait apaisée depuis le décès de Guelwaar. Transportée par les convulsions vocales, elle ne ressentait pas les heurts et secousses de la charrette. Délivrée de ses afflictions, les yeux clos — un profond regard intérieur — , elle égrenait son chapelet. Elle s'était engagée auprès de la Sainte Marie à réciter un rosaire. Dame Véronique, assise à côté d'elle, s'époumonnait avec bonheur.

Cette journée avait été longue, éprouvante, avec ses moments d'abattement.

L'Aîné des Anciens, Dibocor, suivait la charrette-corbillard avec ses couronnes de fleurs artificielles saupoudrées d'une couche de terre jaunâtre. Les doyens n'avaient pas failli à leur rôle de guide. Leurs joies de ce jour les ramenèrent au temps jadis de leur enfance. L'eau venue du ciel avait rincé les feuillages et les toitures des maisons, des couches successives de terre poudreuse. Les enfants, joyeux, batifolaient, se douchaient sous la pluie. Leurs rires cristallins donnaient vie à l'eau. Ils entendaient l'écho des cascades, les ruissellements d'eau de pluie dévalant les ravins, les gouttelettes qui chutent perle après perle dans les calebasses, les bassines. Ils respirèrent fort, se remplirent les poumons de la senteur de la terre bien mouillée, des pollens de toutes les fleurs, ceps et arbres.

La nostalgie d'hier revenait en eux, la cruelle vérité des jours d'aujourd'hui, qui assassine les élans humains de solidarité.

Les adolescents, fiers, ouvraient la marche, levant leur croix du Christ décharné, en fil de fer. C'est Etienne qui, au sommet de la colline, aperçut l'écharpe de fumée couronnant le camion qui dévalait la pente en leur direction. Il confia la croix à son voisin et courut à sa rencontre. Le véhicule stoppa avec peine : un camion Citroën TV32, lourdement chargé. Etienne fit le tour et lut l'inscription sur les calicots blancs : *Aide Alimentaire.*

— Pâââ, descends, lui intima Etienne.

— Qu'est-ce que tu veux, fils ? demanda le conducteur.

— Pâââ, descends...

L'homme descendit. Il était mal rasé, vêtu d'un pantalon à la turque et d'un maillot de corps rayé.

En chemin, il avait réparé des crevaisons. Cette escorte de *kérétianes*, en pleine savane, ne le rassurait pas.

— Qu'est-ce que vous voulez mes enfants ?

— Rien... C'est ce que tu transportes qui nous intéresse. Si tu ne veux pas obéir, on brûle ton tacot, lui dit Etienne.

Preste, Etienne grimpa. Debout sur le camion, il appela : « Yandé, venez tous ! »

Les adolescents se passèrent l'un à l'autre la croix qui finit par atterrir entre les mains d'Abbé Léon. Ils rejoignirent Etienne qui déjà avait commencé à jeter les sacs sur le sol. Certains les éventrèrent et répandirent le contenu sur le talus.

Le chauffeur tempêtait, hurlait...

Aloys, en boîtant, vint leur faire face avec animosité.

— Regarde !... Regarde, ce que font vos enfants ! lui dit l'homme.

Il suait à grosses gouttes. Son véhicule vétuste et rafistolé était son gagne-pain, nourrissait sa famille nombreuse. Pris d'inquiétude devant le visage ferme et noir d'Aloys, son regard balaya la masse sombre des adultes. Il aperçut le prêtre avec la croix, et courut vers lui, comme un noyé qui agripperait une bouée de sauvetage.

— Abbé ! Abbé ! Toi, tu es un être de religion, déclara-t-il d'un ton plaintif, les larmes aux yeux. Il crut bon d'ajouter : C'est le député Amadou Fall qui donne ces aliments aux habitants de Ker Baye Aly.

Abbé Léon, comme tous les doyens, était surpris du comportement des jeunes et de la rapidité de leur action.

— Etienne !... Etienne ! s'écria le prêtre avec

autorité. Cessez immédiatement ! Ce n'est pas bien, ce que vous faites.

A même la piste rouge, les garçons s'activaient à vider les sacs, sachets, cartons importés des Etats-Unis, de France, d'Italie, d'Allemagne, du Japon, de Hollande et de Belgique.

— Abbé, ce que font vos enfants est *haram*[52]. La nourriture est sacrée, répéta le conducteur, se touchant le front avec son avant-bras.

— Etienne !... Ce que vous faites est un *péché*. Je vous ordonne de vous arrêter !

Sur une bonne longueur de la route, les dons s'étalaient : un tapis fleuri, mélangé du jaune clair de la poudre d'œufs ; du jaune du maïs ; du blanc de Rice Uncle Ben's ; du gris jaunâtre de la farine de blé...

Etienne sauta du camion.

— Abbé Léon, j'étais présent au meeting lorsque Tonton Guelwaar a parlé. Nous les jeunes, nous ne voulons pas grandir pour devenir des pères de famille mendiants...

— Nous non plus, les filles, nous ne voulons pas devenir des prostituées pour nourrir nos pères, nos mères, nos maris et nos enfants, déclara à son tour Yandé, à côté d'Etienne.

Tous et toutes étaient comme assommés. L'Aîné des Anciens, Dibocor, se taisait, troublé. Nogoye Marie descendit de sa charrette.

— Marie, Etienne t'obéit. Il faut le raisonner. La *nourriture* est sacrée... C'est un péché que de vouloir faire rouler le corbillard dessus !

Nogoye Marie scruta les visages, coula un long regard sur le chemin coloré et répondit :

---

52. *Haram* : péché en arabe.

— Gor Mag, ce qui est un péché, c'est ce que vous, *Guelwaar-yi*, avez fait. Vous vous êtes entendus avec le défunt, là... couché. Et vous *Guelwaar-yi*, vous vous taisez. C'est ça qui est un péché !

Etienne et Yandé prirent la bride du cheval et ils firent avancer la charrette-corbillard sur les dons. Nogoye Marie, Véronique, Anna, *Morom-yi*, Hélène, Sophie, puis Barthélémy, Dibocor, *Lamane-yi* suivirent, *Guelwaar-yi* sur leurs talons.

Abbé Léon, les yeux écarquillés d'étonnement, voyait ses ouailles, les unes après les autres, piétiner volontairement la *nourriture*. Comme s'il était saisi de commotion, ses lèvres remuaient, sans un son. Cette conduite irrespectueuse évoquait dans son esprit le repas de la Cène... « Mangez, ceci est mon corps... » Un sang fécond débordait de son cœur de pasteur blessé. Il se demandait : Le comportement de ces enfants d'aujourd'hui n'est-il pas le prélude de ce que sera demain ? Devenus adultes, seront-ils capables d'exprimer et d'assouvir leur muette vengeance par la cruauté, la violence aveugle ? Est-ce la fin du *Verbe* ? A toutes ces questions, il n'avait aucune réponse.

Le vieux conducteur, qui l'observait, vit le ruissellement des larmes du prêtre. Il oublia sa propre détresse, le prit en pitié et lui suggéra :

— La *nourriture* est sacrée ! Mais tu peux marcher dessus pour rejoindre ta famille.

Fouler la nourriture pour rejoindre son troupeau ? Ou passer au large ? Cérémonie expiatoire ! Abbé Léon resta indécis. Il vit revenir vers lui Etienne et Yandé.

— Abbé, rends-moi la croix, lui dit Etienne, dégageant une volonté féroce.

Le bras droit alourdi par la croix en fil de cuivre tressé, Abbé Léon tarda à répondre.

Etienne la lui prit en dénouant ses doigts. Léon ne dit rien.

— Etienne ! tonna Yandé avec autorité.

Elle prit le poignet de l'abbé et le guida vers les dons qu'ils allaient piétiner.

Ensemble, tous trois, rejoignirent les autres.

CRITIQUES CINÉMATOGRAPHIQUES

VENISE

49e MOSTRA DE CINÉMA
Médaille d'Or à *Guelwaar*
Presse Nationale et Internationale Unanime

LE TÉMOIN (Afrique)
Marcel MENDY

Guelwaar traduit, avec éloquence, une nouvelle prise de conscience qui augure, vraisemblablement, d'une approche autre du développement basé cette fois sur le travail collectif national et non plus exclusivement ou presque sur la mendicité internationale. C'est tout le mérite de SEMBENE d'avoir posé le problème.

WALFADJRI (Afrique)
Ndlack NDIAYE

Guelwaar s'inscrit ainsi dans la suite logique de CEDDO dans l'élévation du sens de la dignité de l'homme, mais aussi dans cette vision dynamique de l'histoire (comme dans *Camp de Thiaroye*).

PARISCOPE (France)

Les rêves d'un mort ont parfois un étrange pouvoir.

TÉLÉRAMA (France)
Joshka SCHIDLOW

Dans ce récit aux allures de fable, Ousmane Sembene met en garde contre les dangers de division qui menace le Sénégal. Mieux : il accuse ouvertement les hommes de pouvoir, incompétents, malhonnêtes et démagogues, d'être responsables de la chute vertigineuse du continent africain dans le gouffre de la misère.

LE DÉBAT (Afrique)
Pape Dembe NIANG

Guelwaar, c'est par ailleurs un moment privilégié de dialogue islamo-chrétien. Les deux familles religieuses concernées dans le film ont pu surmonter leurs divergences pour aboutir à un accord restituant le corps de Guelwaar. Le père Léon et l'imam : quelle classe ! Ils symbolisent à eux deux un degré élevé du sacerdoce qui appelle la miséricorde de Dieu. Qu'en est-il de la réalisation artistique et technique du film ? C'est vraiment au top niveau.

WALFADJI (Afrique)
Jean Meïssa DIOP

A partir d'un authentique fait divers, Sembene fait le procès de l'intolérance ; il raconte une belle histoire contre tous les intégrismes mal éclairés d'où qu'ils viennent. C'est aussi la dénonciation de la politicaillerie de basse stature dans les hameaux livrés à des épateurs de village qui savent chauffer les esprits et les calmer au gré de leurs intérêts. La promesse de dons de vivres ou le détournement de l'aide étrangère servent à forger et à entretenir une popularité.

LE FLAMBOYANT DES CARAIBES
Hor-Fati LARA

C'est le matin des obsèques de Guelwaar, grande figure résistante et défenseur d'une Afrique non corrompue, non assistée. Victime d'une agression ayant entraîné sa mort, l'on s'aperçoit que son corps a disparu de la morgue. *Guelwaar* part de ce prétexte véridique pour montrer une communauté paysanne en proie à l'aide alimentaire distribuée à grands renforts d'aumônes qui met celui qui la reçoit en état et en statut de mendicité et lui enlève pour longtemps le goût et la faculté d'initiative, d'autonomie, de liberté enfin...

SUD QUOTIDIEN (Afrique)
Baba DIOP

Par le fait du hasard mais aussi de l'ignorance, le corps de Guelwaar est enterré dans le cimetière musulman du village des « Ciss ». Commencent alors les tractations, les heurts et les préjugés. Deux communautés face à face, opposées par ce quiproquo qui risque de déboucher sur une guerre de religion.
Sembene nous fait pénétrer dans les deux communautés et par une indiscrétion, nous fait partager les secrets des uns et des autres. Sembene qui ne s'embarrasse pas d'esthétique pour dire ce qu'il croit être vrai au cinéma, cette fois-ci se donne les moyens visuels de séduire le spectateur.

LE FIGARO (France)

Marie-Noëlle TRANCHANT

Une réflexion vigoureuse polémique — mais optimale — sur l'Afrique actuelle, qui s'exprime dans son nouveau film, à travers l'histoire d'une erreur de sépulture. Chrétien, Guelwaar est enterré dans un cimetière musulman. Un fait divers que Ousmane Sembene transforme en « légende africaine du XXIe siècle », articulant le conflit autour de la personnalité de Guelwaar, contestataire de l'aide humanitaire. Comme son héros, Ousmane Sembene travaille à rendre à l'Afrique la conscience de sa dignité et l'exhorte à ne pas rester à la traîne des pays industrialisés.

LE SOLEIL (Afrique)

Djib DIEDHIOU

Guelwaar est admirablement servi par des images très belles renforcées par une lumière naturelle modulée en fonction des différentes atmosphères (deuil, tension, humour) que traverse le film. La musique de Baaba Maal, point envahissante, se contente d'accompagner certains temps forts. Quant à la distribution, elle permet à des talents de la trempe de Thierno Ndiaye de se révéler et à des comédiens chevronnés comme Samba Wane, Coly Mbaye, Oumar Seck, Ndoumbe, Marie Augustine ou Abou Camara de briller sous la direction de Sembene.

LE MONDE (France)

Sembene, un des fondateurs du Cinéma Africain, décrit dans *Guelwaar* le bouleversement qu'entraîne dans un village, l'inhumation d'un chrétien dans un cimetière musulman. *Guelwaar* traite de la honte, de la mendicité et de l'asservissement, dénonce dans une fable inspirée d'un fait divers authentique, la corruption et autres maux dont souffre l'Afrique. Le film s'adresse plus aux Africains qu'aux Européens.

LA CROIX (France)

La force de Sembene est à partir de personnages qui sont chacun comme condensé de l'Afrique, il ne fait l'économie d'aucune contradiction tout en posant les bases de quelque chose qui ressemble à de l'espoir... « Quand un charognard mange le corps de ton ennemi, chasse-le, car tu es en danger », proclame Guelwaar. La leçon de ce film tonique et décapant est claire. L'avenir existe pour l'Afrique si les Africains apprennent vraiment à ne compter que sur eux-mêmes et à chasser les charognards.

Achevé d'imprimer par Corlet, Imprimeur, S.A.
14110 Condé-sur-Noireau (France)
N° d'Imprimeur : 14532 - Dépôt légal : janvier 1996

Imprimé en C.E.E.